Tout est normal

Stéphane GUILLON

Tout est
normal

Certains textes faisaient tellement écho à de plus anciens que je n'ai pas pu m'empêcher de leur faire une petite place. La faute à tous ces hommes politiques qui nous répètent sans cesse «J'ai changé!», mais qui au fond restent les mêmes.

S. G.

Vous aimez l'humour? Inscrivez-vous à notre newsletter pour suivre en avant-première toutes nos actualités :
www.cherche-midi.com

© le cherche midi, 2014
23, rue du Cherche-Midi
75006 Paris

Une crainte bien inutile...

13 MARS 2012

Dernier feu d'artifice

Ce matin, je voudrais vous confesser un sentiment confus et invraisemblable, difficile à expliquer... Voilà, depuis quelques semaines, en tant qu'humoriste, je redoute la victoire de la gauche. Cinq ans que la droite nous offre un tel spectacle, mélange de gaffes, d'excès, de dérapages, d'affaires, nous avons bénéficié d'une telle matière pour rire et faire rire... Alors soudain, j'ai peur de me retrouver sans rien, désœuvré, démuni. À quarante jours d'une possible victoire de l'opposition... je flippe ! C'est un des paradoxes de ce métier : on se moque des travers de nos politiques, on les dénonce, on en rigole... Et quand ils s'en vont, quand ils nous quittent, on se retrouve orphelin. Ils nous manquent presque : le syndrome de Stockholm.

Pour un humoriste, une année politique sans scandales... c'est comme un hiver sans neige pour un moniteur de ski... Sa saison est fichue. À *Libération* aussi, l'ambiance est bizarre. Le journal ne s'est jamais aussi bien vendu, on devrait se réjouir... Et pourtant, dans le regard de quelques journalistes politiques croisés, au petit matin, à la machine à café, je perçois une inquiétude.

Je nous fais penser à un groupe de scientifiques qui pendant des années se serait investi, passionné, à chercher un vaccin pour soigner une grave maladie et au moment de trouver le remède miracle... « Putain, qu'est-ce qu'on va devenir, maintenant ? » Fini les réunions enfiévrées le soir, les apéros jusqu'à pas d'heure avec Demorand couché sous la table chantant *L'Internationale*. « On a gagné... Merde ! »

J'ai un ami, humoriste américain, qui me l'a avoué l'autre jour : depuis le départ de George W. Bush et l'arrivée de Barack Obama, c'est l'horreur, il s'ennuie à mourir, il broie du noir. On est passé d'un cow-boy bête à bouffer du foin, dilettante, fils à papa, capable de s'étouffer en mangeant un bretzel à un homme à la grâce absolue, un Sidney Poitier des temps modernes, brillant, charismatique, capable de chanter du blues à la Maison Blanche aux côtés de Jagger et de B.B. King sans être ridicule. Mon copain américain était au plus mal : « Comment veux-tu qu'on travaille, comment veux-tu qu'on s'en sorte ? »

Là-dessus, j'ai imaginé François Hollande en chanteur de blues faisant se pâmer ses dames et j'ai été rassuré. Nous avons encore de la marge sur les Américains.

Malgré tout, je demeure inquiet. J'ai conscience qu'en matière d'humour politique nous vivons les dernières semaines d'un âge d'or. Dans cinquante ans, nous nous repasserons les meetings du président comme un bon vieux Louis de Funès.

«Regarde comme il bouge les épaules! Et ces mots entiers qu'il avale.

– Dis-moi, c'est qui, le gros monsieur au premier rang qui, entre deux relents de whisky, lui a apporté son soutien?

– Gérard Depardieu...

– Non, pas le voyou sublime des *Valseuses!*

– Si, c'est lui!»

Je suis inquiet. Fini la rigolade. En plus, comme un fait exprès, la droite met les petits plats dans les grands, se surpasse, fait tout pour se faire regretter, bouquet d'un dernier feu d'artifice... Fillon, jusque-là réservé, s'attaque au halal. Dati chausse ses bottes de sept lieues pour entrer en campagne: des Louboutin rouges à 2 500 euros l'unité, histoire d'aider le Petit Poucet à faire peuple! C'est connerie sur connerie, énormité sur énormité... Depuis dix jours, «la cellule riposte» a laissé la place à «la cellule Jean-Claude Van Damme».

Bien sûr, je me fais aider, depuis quelque temps, je vois quelqu'un, mon médecin de famille, le professeur Delange. «Lâchez-vous, m'a-t-il dit, jusqu'au 6 mai, faites-vous plaisir: *Libé*, Canal, l'Olympia... Allez-y à fond, ne vous privez de rien!»

«Le 7 au matin, vous passerez me voir au cabinet et on avisera. Venez à jeun: *Mediapart, Marianne, Rue 89, Le Nouvel Obs...* Aucune lecture!

– Même pas une petite brève dans le *Canard*?

– Rien, soyez là à jeun et à l'heure! J'ai Didier Porte après vous. Vous allez avoir des moments difficiles, Stéphane, je ne vous le cache pas... Déprime, manque d'appétit... passages à vide, votre carrière peut légèrement décliner... (Mon médecin marquait un temps, je sentais qu'il hésitait à me dire la vérité.) Je vais être franc, il y a peut-être un risque que vous finissiez jury dans *The Voice*...

– Non, pas *The Voice*, pas *The Voice*, je ne veux pas tomber aussi bas !

– Arrêtez de pleurer, calmez-vous, je préfère envisager le pire, le pire n'est jamais sûr. Et puis, vous savez Stéphane, ce n'est pas le médecin qui vous parle, mais l'ami... Entre nous... Il se peut que vous retrouviez du travail très vite... Pour les conneries, les malversations, les socialistes savent aussi être très doués, de vrais cadors, ils l'ont prouvé à maintes reprises par le passé. Dès cet automne, peut-être même à la fin de l'été, vous pourriez être totalement débordé. Faites confiance à la gauche ! »

FIN !

14 SEPTEMBRE 2013

Marseille : intervenir ou pas ?

Des semaines que l'on se déchire sur la question : « Faut-il intervenir à Marseille ? » Vingt morts en 2011, vingt-quatre en 2012 et déjà quinze pour l'année 2013 ! Des observateurs onusiens dépêchés dans la cité phocéenne parlent de véritable guérilla urbaine alors que des dizaines de fusils d'assaut, de grenades et de kalachnikovs ont été perquisitionnés sur place. Les armes sont bien réelles mais une kalachnikov, peut-être en résine de cannabis, est encore en cours d'identification. Alors, intervenir ou pas ? On comprend l'hésitation, « il nous faut des preuves tangibles avant toute intervention », assène un inspecteur.

Si la communauté internationale réclame des frappes ciblées contre les quartiers Nord, Obama, dernier soutien du président français, oppose son veto – « Barack craint une intervention à Marseille car dès lors, il faudrait nettoyer Flint dans le Michigan, nous confie un conseiller. Flint, c'est 62 homicides par an pour 100 000 habitants. À côté Marseille is a *little dick !*" (petite bite) ».

Pour l'heure, seules les flottes russe et chinoise se sont déployées autour du château d'If et des plages du Prado. L'opération, baptisée «Marcel Pagnol», pourrait intervenir fin septembre. Des frappes qui divisent jusqu'aux plus fervents va-t-en-guerre. «On n'est pas à l'abri d'une bavure, tonne David Cameron. Si tout le monde s'accorde sur la nécessité de raser la cité des Lauriers, des Cyprès, des Hirondelles et des Lilas, plaques tournantes de la drogue, en revanche, un Tomahawk pourrait malheureusement tomber sur Notre-Dame-de-la-Garde, le Mucem, une fabrique de calissons ou pire la villa de Michel Drucker à Eygalières... Nous ne pouvons pas prendre ce risque!»

Particulièrement belliqueux, les Russes sont soupçonnés de vouloir bombarder le stade Vélodrome, seul moyen pour eux de propulser le Spartak Moscou en Ligue des champions. «Au final, ce sont toujours des questions d'argent, de gros sous, s'indigne Élie Baup, l'entraîneur de l'OM. Si des cités s'embrasaient à Évian Thonon-Gaillard, les Russes n'interviendraient pas!»

Deux poids deux mesures? Ce week-end, le secrétaire général de l'ONU, Ban Ki-moon, a tenu lui aussi à réagir: «La France est un pays à part, très complexe avec ses codes, ses us et coutumes. La dernière réunion organisée par le gouvernement pour lutter contre le grand banditisme à Marseille était animée par Jean-Noël Guérini mis en examen pour "association de malfaiteurs". Guérini, intronisé en Monsieur Propre de la pègre, c'est un peu comme si on demandait à Marc Dutroux de travailler dans une crèche!»

Que faire ? Vu de l'étranger, la situation paraît totalement ubuesque. Aujourd'hui, le gars chargé de sécuriser Marseille s'appelle Manuel Valls, de son vrai nom Manuel Carlos Valls. Plus un nom de narcotrafiquant colombien que de premier flic de France, moquent ses détracteurs. Par ailleurs, l'homme s'habille en jeune marié pour visiter les quartiers Nord, évoquant BHL en costume Dior sur les ruines de Benghazi. Entre deux fusillades, il pose dans *Paris Match,* roulant une pelle à sa femme, la violoniste attitrée de Johnny Hallyday. Comment voulez-vous que ce gars soit pris au sérieux par les caïds locaux ? Le remplacer est risqué, on ne sait pas sur qui on peut tomber. Son prédécesseur s'appelait Claude Guéant, alias « le Cardinal », spécialiste des valises, commissions et versements en liquide, traité de menteur et de voleur par son ex-collègue au gouvernement, madame Roselyne, alias « la Pharmacienne ». Intervenir ou pas ? Les tergiversations onusiennes font bien sûr le jeu des Français. Depuis dix jours, Hollande multiplie la surenchère. L'homme est connu pour son tempérament de feu, un mélange d'hyperactivité et d'autoritarisme. Dans son pays, on l'a surnommé « Flamby », le nom d'un dessert, célèbre pour ses pouvoirs énergisants. Flamby a menacé : « Une frappe sur Marseille, euh... pourrait embraser toute la région Paca. Je ne réponds de rien, euh... le carnaval de Nice, le Midem de Cannes, la foire aux santons d'Aubagne... toutes ces manifestations pourraient être annulées... »

Afin d'éviter le pire, Manuel Valls a tenté un ultime déplacement dans les quartiers Nord, celui de la dernière chance. Habillé cette fois d'une queue-de-pie et d'un chapeau haut de forme, le ministre n'a pas hésité à retirer ses gants pour serrer la main à des minots. Il a ensuite visité la prison des Baumettes en compagnie de son épouse, Anne Gravoin, qui a interprété au violon *All You Need is Love* aux détenus les plus dangereux. Le ministre s'est voulu confiant : « La violence n'est pas une fatalité, la queue-de-pie, la musique d'Anne, les paroles des Beatles, tout cela devrait calmer les esprits les plus chauds et ramener la paix à Marseille pour plusieurs années. » L'ONU a salué un geste fort et *Gala* a refait une photo du ministre aux Baumettes car Manuel n'était pas sur son bon profil.

21 SEPTEMBRE 2013

« J'aime le bijoutier niçois ! »

Je vais être honnête : je n'ai pas fait partie des tout premiers fans de Stephan Turk, le bijoutier niçois ayant descendu son braqueur alors que ce dernier tentait de s'enfuir. Certainement trop sensible, empreint de considérations philosophiques sur la sacralité de la vie et l'interdiction de se faire justice soi-même... je n'ai pas su apprécier immédiatement la justesse de son geste.

Je me disais naïvement : « Oui, mais quand même, tirer dans le dos d'un gamin de 19 ans, le tirer comme un lapin, alors que votre vie n'est plus en danger, c'est pas génial. » Autant dans une fête foraine, je peux comprendre, il y a un enjeu, un ours à gagner. Mais là, ça ne pouvait certainement pas être afin de récupérer son bien. Je le dis sans méchanceté aucune, mais vu le look de la bijouterie – une minuscule échoppe ressemblant plus à un kebab qu'à la vitrine d'un joaillier – vous imaginez la maigreur du butin. On ne dessoude pas un type pour une dizaine de Swatch, quelques montres Pion et une chevalière plaquée or.

Plus j'essayais de comprendre les motivations d'un tel acte, moins j'y parvenais. Quelque chose m'échappait, je me demandais comment un homme en semi-retraite, décrit par les médias comme fragile, affaibli, traumatisé par ses précédentes agressions, avait-il réussi à s'agenouiller dans la rue pour stabiliser son tir et allumer le jeune Antony ? Un geste parfait, d'un sang-froid inédit, que seul Clint Eastwood est capable de réussir. J'étais perplexe.

Et puis samedi dernier, en découvrant que plus d'un million de personnes avaient envoyé le mot «j'aime» sur la page Facebook créée en soutien à Stephan Turk, j'ai changé mon fusil d'épaule. Un million deux cent mille fans : autant de personnes ne peuvent se tromper ! Je suis très influençable face au succès populaire. Lorsque *Camping* est sorti au cinéma, au début j'ai dit : « C'est de la merde ! » Et quand j'ai vu le nombre d'entrées, j'ai changé d'avis.

Dans le cas du bijoutier niçois, il faut se rendre à l'évidence, nous sommes face à un véritable phénomène, quelque chose d'unique dans l'histoire du crime. Imaginez, vous butez quelqu'un et dans les heures qui suivent vous recevez un million de soutiens Facebook. Quand je pense que Patrick Dils a fait quinze ans de prison alors qu'il était innocent... le charisme, ça ne s'explique pas !

Malheureusement, il existe toujours des grincheux, des snobs que le succès populaire dérange, à l'instar du procureur de Nice, Éric Bedos, qui n'a pas souhaité retenir la notion de légitime défense en faveur du bijoutier. Pour monsieur Bedos (certainement un parent du célèbre humoriste gauchiste), Stephan Turk «a agi volontairement pour donner la mort».

Mais c'est oublier un peu vite que, pour des milliers d'internautes, Stephan Turk est une star, une sorte de Charles Bronson de la Côte d'Azur qui a eu le courage de dire : «Stop! On en a marre de toute cette racaille!» Et après tout, monsieur Turk n'a fait que répondre à l'appel de son maire, le sémillant Christian Estrosi qui exhorte ses ouailles à «mater les Roms, ces délinquants en puissance». Antony n'était pas un Rom, mais franchement, de dos, sur un scooter, tout le monde peut se tromper! Alors comment faire aujourd'hui pour sauver monsieur Turk, égérie du Web, inculpé d'homicide volontaire, assigné à résidence et affublé pour unique bijou d'un bracelet électronique? Pour sa part, Christian Estrosi a eu une idée géniale : déposer un projet de loi afin de modifier les contours de la légitime défense. Une légitime défense XXL qui prendrait en compte «la dimension humaine et l'exaspération des victimes».

Et pourquoi ne pas la tester immédiatement à Nice? Chaque jour, monsieur Estrosi et son lieutenant, le fidèle Ciotti, examineraient les affaires d'autodéfense.

– Estrosi : «Alors, Ciotti, quoi de neuf ce matin?»

– Ciotti (un petit homme chauve et nerveux qui mâchouille une Chupa Chups, on dirait Kojak) : «Une certaine Paulette a fait feu Promenade des Anglais sur un jeune en voiture. Elle attendait sagement dans les clous quand le jeune est passé, elle s'est sentie menacée.»

– Estrosi : «Légitime défense, Ciotti?»

– Ciotti : « L'individu est un multirécidiviste qui a déjà perdu trois points pour usage de téléphone au volant... »

– Estrosi : « Légitime défense, Ciotti. Affaire classée ! »

– Ciotti : « Le problème, monsieur le maire, c'est que Paulette souffre de la maladie de Parkinson... »

(À cet instant, Estrosi tique : Nice est une ville de retraités. Avoir décidé de les armer pour se défendre est un choix risqué, longtemps discuté au conseil municipal. Paulette a allumé tout le monde, en plus du jeune on déplore dix victimes : sept vieux et trois caniches.)

– Estrosi : « Putain les caniches, Bardot va nous emmerder ! »

Bref, aujourd'hui, c'est donc en pleine connaissance de cause que je suis totalement fan du bijoutier niçois, un de ses plus fervents supporters. D'ailleurs, je souhaiterais aussi soutenir George Zimmerman, ce garde bénévole américain qui a descendu un jeune Noir. Le gars portait une capuche en pleine nuit, de quoi foutre la trouille à n'importe qui ! Savez-vous si George a un compte Facebook ? J'aimerais lui envoyer un « j'aime ».

Les « Mémoires » de Cécilia

Les mémoires de Cécilia Attias, ex-madame Sarkozy, sortent au milieu du mois d'octobre chez Flammarion. Un événement littéraire dont *Libération* publie ici en exclusivité les meilleures pages.

« J'ai rencontré Nicolas Sarkozy le jour de mon mariage avec Jacques Martin. Il portait une écharpe tricolore trop grande pour lui et récitait son code civil en avalant les mots, les épaules secouées de spasmes : "Qu'est-c'qui s'doivent les époux, hein ? Et bah les époux, ils s'doivent respect, fidélité, secours et assistance !" En sortant de la mairie, Jacques a dit : "C'est drôle d'avoir été marié par Louis de Funès !" [...]

« Vins d'honneur, remise de médailles, inauguration de crèches... Depuis mon mariage, le maire de Neuilly me fait une cour effrénée. Nous nous embrassons pour la première fois lors d'une amicale de bouliste, c'est sa deuxième tentative... Cette fois-ci, j'ai mis des talons plats et en se hissant sur la pointe des pieds Nicolas réussit à toucher mes lèvres. Nous devenons amants.

Pour ne pas nous faire surprendre, nous faisons l'amour uniquement les dimanches après-midi quand Jacques présente *L'École des fans* sur Antenne 2 et nous laissons la télé allumée. Aujourd'hui encore, quand j'entends des phrases comme : "Dis-moi, qu'est-ce qu'il fait, ton papa ?" Cela me donne des frissons ! [...]

«Nicolas est très amoureux, mais je n'aime pas ses fréquentations. On se croirait dans *Le Parrain* avec la famille Corleone se partageant les Hauts-de-Seine. Il y a Charly Pasqua, en éternel costume rayé, pinçant l'oreille de Nicolas pour le féliciter. Édouard dit "Doudou" qui s'essuie toujours les mains avec des lingettes après avoir dit bonjour à quelqu'un mais qui adore compter l'argent sale. Patrick, un grand escogriffe qui tient Levallois et se vante d'avoir couché avec Bardot alors qu'en vérité il se sert d'un 357 pour obliger sa conseillère municipale à lui faire une gâterie. [...]

«Maire, député, ministre : la politique occupe toute notre vie. Pour la présidentielle de 1995, Nicolas a préféré soutenir Balladur plutôt que Chirac son mentor. Je m'inquiète pour son image. Après l'épisode de Jacques Martin, cette nouvelle trahison tombe mal : Nicolas a toujours cocufié les Jacques. La campagne est financée par la vente de tee-shirts. En quelques semaines, ils disent en avoir vendu pour dix millions ! Même chez Gap, qui a pourtant des boutiques dans le monde entier, ils ne font pas un tel chiffre. Quelque chose cloche ! Quand j'apprends en outre que les tee-shirts sont à l'effigie de Balladur, mon inquiétude décuple... [...]

« Je ne reconnais plus mon mari : colérique et autoritaire. Il devrait pourtant être heureux : tous les sondages le donnent gagnant en 2007. Depuis quelque temps, il s'est entiché d'une vieille dame de Neuilly à qui il rend régulièrement visite. Il part avec des sacs vides qu'il rapporte pleins à craquer. L'autre jour, pour plaisanter, je lui ai dit : "Dis donc, ça marche, la vente de tee-shirts !" Il s'est fâché ! [...]

« J'ai rencontré quelqu'un, un publicitaire. On se voit quand Nicolas passe à la télé et comme il y passe tout le temps c'est très agréable. L'autre soir, nous avons profité du débat Ségolène-Sarko : 2 h 39 de plaisir. Quand Arlette Chabot a dit aux téléspectateurs : "Pardon d'avoir dépassé, mais c'était important !" Richard a acquiescé... [...]

« Nicolas a été élu avec 53 % des voix. Je n'ai pas été voter et j'ai fait la gueule toute la journée. Première dame, c'est pas mon truc. Collecter des pièces jaunes avec ce balourd de Douillet, merci bien ! Je rêve d'États-Unis et de 5ᵉ Avenue. [...]

« Quand j'ai quitté Nicolas il a fallu trouver en urgence une première dame de rechange car le président ne peut pas rester seul. La mission baptisée SOS First Lady fut confiée à un publicitaire célèbre, qui a réussi sa vie à 22 ans en achetant une Rolex Submariner. Séguéla a dressé une liste de vedettes, mais peu d'artistes étaient intéressées par le job. Seule, Véronique Genest, l'icône des jambons Madrange, s'est portée volontaire. Un joli coup pour Séguéla qui peut à la fois promouvoir une marque de jambon et trouver une première dame, néanmoins, Nicolas décline la proposition. [...]

«Carla Bruni a été choisie sur photo. Nicolas, dont les goûts musicaux commencent à Mireille Mathieu et s'arrêtent à Michèle Torr, ne la connaissait pas. Il ne semble pas très amoureux. Son mariage est prévu pour le mois prochain et hier j'ai reçu le SMS : "Si tu reviens, j'annule tout." Depuis mon départ, il est agressif, irascible. Au Guilvinec, il a voulu se battre avec un pêcheur et il a traité un vieux monsieur de "pauv'con". Il multiplie les erreurs et les affaires le rattrapent. Ce matin, Doudou et Charly sont passés en catastrophe à la maison brûler des documents. J'ai peur qu'il soit battu en 2012 et finisse avec un casier judiciaire, mais je ne peux plus rien. Je l'ai aidé à réaliser son rêve, devenir président. Aujourd'hui, je pense à moi...»

5 OCTOBRE 2013

Qui veut gagner des électeurs FN ?

Je ne sais pas si vous êtes comme moi, mais, pour ma part, j'adore le jeu de téléréalité *Qui veut gagner des électeurs FN ?* Même si le concept est loin d'être neuf, je trouve les candidats de cette nouvelle saison vraiment super pugnaces et particulièrement décomplexés ! De l'avis de tous les experts, le cru 2013-2014 s'annonce exceptionnel. Jusqu'en mars donc, date des élections municipales, des femmes et des hommes politiques vont s'affronter à coups de propos racistes, indignes et antirépublicains afin de piquer le maximum de voix au Front national. Le gagnant repart avec des milliers d'électeurs, une paire de rangers, un berger allemand, les œuvres complètes de maître Collard et une invitation pour aller valser à Vienne au bras de Marine et de ses amis néonazis. Si l'émission réserve toujours son lot de surprises et de rebondissements, je dois vous avouer que j'ai été particulièrement bluffé par le candidat sarthois François Fillon. Franchement, je n'aurais pas misé sur lui. Personnage falot, bien propre dans ses costumes à rayures, la mèche et le revers toujours impeccables, je ne comprenais déjà pas comment il était parvenu à franchir les *prime*! Seul le candidat de Valenciennes Jean-Louis Borloo le prenait pour un adversaire potentiel : «Fillon, avait-il dit, est un crocodile capable de rester très longtemps sous l'eau avant d'en sortir pour saisir sa proie.» Depuis, on attendait désespérément l'antilope ! Et puis, le 8 septembre dernier, coup de théâtre, le crocodile a ouvert sa gueule : «En cas de duel PS-FN, j'appellerais à voter pour le moins sectaire», douze antilopes et trois buffles sur le carreau, un vrai carnage. Tous les boutons de son costume Arnys sur mesure pétaient les uns après les autres. La ménagère médusée assistait à la métamorphose de Hulk. Libéré, sans plus aucun complexe, Fillon hurlait à la face du monde : «Nous les Manceaux, on n'est pas des pédés !» Oui, on avait oublié qu'en 1981, il avait voté contre la dépénalisation de l'homosexualité. On comprend mieux son engagement pour Poutine.

Certes, les années précédentes, nous avions eu des candidats formidables : Copé et ses pains au chocolat, Hortefeux et ses propos sur les Arabes «un ça va, c'est quand il y en a beaucoup que ça pose des problèmes», Guéant et «les Français qui ont le sentiment de ne plus être chez eux». Mais c'était plus attendu, on les connaissait... Fillon, c'est la surprise, la révélation 2013 et c'est pour ça qu'il peut gagner.

J'aime aussi beaucoup le p'tit brun, le candidat Manuel Valls. Au début du concours, il y eut un début de polémique car certains disaient qu'il était espagnol et que, *de facto*, il ne pouvait pas participer à *Qui veut gagner des électeurs FN ?* En vérité, j'ai vérifié, il est bien français, né à Barcelone mais naturalisé en 1982. De toute façon, depuis la mort de Franco, l'extrême droite espagnole est inexistante. Pour Manuel, la seule chance de participer à un tel jeu, c'était de s'installer ici.

Manuel, c'est un tacticien à l'état pur. Il avance masqué, clamant sans cesse «je suis de gauche!» pour faire diversion. Si on était dans *Secret Story*, ça ferait belle lurette que j'aurais découvert son secret : «Manuel possède une carte du FN.» C'est un candidat redoutable. Les convertis, ce sont les pires. Heureusement qu'il n'est pas tombé sur un type comme lui au moment de sa naturalisation, on imagine la réponse : «Des gens qui tuent des taureaux, parlent comme des vaches (espagnoles) et bouffent des gambas du soir au matin... ont vocation à retourner en Espagne.»

Pour l'instant, rien n'est joué, le concours ne fait que commencer, et d'ici mars nos candidats vont pouvoir monter en puissance, affûter leurs arguments : aujourd'hui ce sont les Roms qui ne veulent pas s'intégrer (et quand ils essayent c'est pire, ne leur donnez jamais votre pare-brise à laver!), restent les musulmans et les prières de rue, puis nous passerons aux Chinetoques qui empoisonnent nos enfants avec leurs nems farcis aux chiens et frits à l'huile de vidange...

Le vainqueur ne devra pas hésiter à mouiller son maillot tricolore. Flatter toujours et encore plus l'électorat frontiste, lui donner des gages, enluminer l'idée de préférence nationale, y ajouter une petite touche de racisme, une xénophobie *light*... On commence par les Roms, un petit Rom pour la route !

Bien sûr, il y aura toujours des grincheux, des gens qui n'aiment pas la téléréalité et qui clament qu'au final la seule vraie gagnante sera Marine Le Pen. Il y aura toujours des pisse-froid tel monsieur Guaino pour gâcher la fête en déclarant quelques jours avant le 6 mai 2012 : «Une défaite morale précède toujours une défaite politique.»

En attendant les votes définitifs de *Qui veut gagner des électeurs FN ?*, Manuel Valls sait d'ores et déjà que l'avis du public lui est favorable à 77 % sur la question des Roms. Sommes-nous à l'Aube (Dorée) d'une nouvelle ère de téléréalité ?

La dédiabolisation du FN a toujours été
la rengaine préférée de Marine Le Pen...

Fascisme *light*

«Cette fois-ci, c'est décidé, je vote Marine!» m'a déclaré madame Dupuis, un grand sourire aux lèvres, les yeux pétillants de bonheur, un peu comme si elle m'annonçait qu'elle partait faire le tour du monde. Madame Dupuis, c'est mon ancienne gardienne, quinze ans que je ne l'avais pas vue et, l'autre jour, sur les grands boulevards, je tombe sur elle, par hasard. Après avoir échangé quelques banalités – le temps qui passe et les enfants qui grandissent trop vite (la petite dernière qu'elle a connue dans sa poussette envoie aujourd'hui des BBM à ses copines) –, la conversation a dérivé sur moi, la politique et... Marine, «Marine sur qui, j'vous le dis parce que je vous adore, vous tapez trop fort! Vous comprenez, a ajouté madame Dupuis, comme si elle avait perçu mon malaise, René est au chômage, un plan de restructuration chez Peugeot Citroën et à deux, avec 800 euros par mois, on ne s'en sort pas! Alors, c'est décidé, en mai, on vote Marine!».

J'étais pétrifié... Madame Dupuis qui a gardé mes enfants, mes beaux-enfants (des petits Zeitoun !) et qui m'annonce qu'elle va voter Le Pen ! Pour achever de m'achever, elle me tend, très fière, sa nouvelle carte d'adhérente, sous l'oriflamme bleu-blanc-rouge du FN.

Madame Dupuis sourit à sa nouvelle vie, une vie pleine d'espoir, où René, son mari, retrouvera bientôt sa place chez Peugeot. « Vous savez, ajoute-t-elle, extatique, Marine n'a rien à voir avec son père, c'est une personne toute simple, comme vous et moi. » « Marine ! », cette façon de l'appeler par son prénom m'horripile. Elle ne s'appelle pas Marine, madame Dupuis, elle s'appelle Marion Anne Perrine Le Pen... C'est déjà beaucoup moins joli comme couleur.

Madame Dupuis semble terriblement déçue, un peu comme si, fan de Sheila depuis toujours, je venais de lui apprendre que le vrai nom de la chanteuse était Annie Chancel. Son petit front rétrécit encore, je la sens malheureuse, je vais devoir y aller avec des pincettes, ne surtout pas la brusquer :

« Marine ne peut pas être quelqu'un "comme vous et moi", madame Dupuis, c'est impossible. Dès sa naissance, elle a été bercée, conditionnée par les idées de son papa, les chiens ne font pas des chats !

– Vous vous trompez, j'ai vu un reportage sur son enfance à Montretout, c'était une vraie famille unie, heureuse et très pratiquante.

– Mais, madame Dupuis, vous imaginez ce qu'est grandir chez les Le Pen ? L'ambiance autour de la table, les dérapages racistes et antisémites, les mauvais jeux de mots, les "Durafour Crématoire", les propos homophobes, l'immigration comparée au sida. Bruno Mégret faisant sauter la petite sur ses genoux en chantant "Ah, dada sur mon bidet, quand il trotte il fait des pets!", les traumatismes que ça représente!

– Oh, les enfants font très bien la part des choses!

– Mais, madame Dupuis, rien que le jour de sa naissance... Jean-Marie débarquant à la clinique avec son bandeau sur l'œil et ses gardes du corps. Une bise à Pierrette, un coup d'œil méprisant à l'infirmière noire qui débarrasse le plateau : "C'est Bamako ici! dit-il en soulevant l'enfant. Heureusement, toi, tu es blonde ma Marion, blonde comme les blés de nos terres de France!" Arrête, supplie Pierrette, tu la fais pleurer avec ta grosse voix. Je vais lui mettre un disque, répond Le Pen, ça va la calmer : *IIIe Reich, voix et chants de la rénovation allemande.* À ce moment-là, Jean-Marie appelle Mégret, son fidèle lieutenant de garde qui attend derrière la porte. "Heil Leitfigur!", répond ce dernier en claquant des talons. "Allez me chercher le mange-disque dans la voiture, Bruno, et faites attention que les dobermans ne sortent pas!"»

Madame Dupuis est furieuse, mon histoire ne lui plaît pas du tout :

«Vous exagérez, monsieur Guillon, vous n'êtes pas à la télé...

– Je n'exagère rien, Le Pen a édité de la musique nazie et il est très probable que la petite ait été bercée avec... C'était son Henri Dès à elle. Imaginez les séquelles!

– Bon, elle a peut-être eu des parents un peu limite, mais elle est allée à l'école, elle a appris la même histoire de France que vos enfants.

– Ah oui ? Vous l'imaginez jeune écolière devant faire signer à Le Pen un exposé sur la Shoah ? Terrorisée par l'antre du chef, un bureau dans lequel sont amassés tous ses souvenirs de la guerre d'Algérie : un chalumeau, une gégène, des électrodes. Et son père lui hurlant dessus : "Me faire signer un exposé sur la Shoah, un détail de la Seconde Guerre mondiale, dis à ta maîtresse, cette conne, que je veux la voir, schnell !"

– Vous êtes vraiment un bobo, monsieur Guillon, c'est facile pour vous... Vous êtes de mauvaise foi, tout le monde sait que Marine a pris ses distances avec son père, elle l'a dit à la télé !

– En 2006, madame Dupuis, Marine Le Pen a posé, entourée de deux jeunes néonazis lyonnais, crâne rasé, look de skinhead, l'un d'eux portait une croix gammée masquée par une tête de mort, il s'agit d'un Totenkopf, symbole des gardiens SS. En 2006, Marine avait 40 ans, ce n'était plus une enfant.

– Elle est peut-être légèrement fasciste, monsieur Guillon, mais c'est un fascisme *light*, moi ce que je veux c'est que mon René retrouve un travail ! »

Madame Dupuis s'éloigne, je la sens moins déterminée, hésitante. Fascisme *light*... À une époque où l'on découvre que les produits *light* sont encore plus nocifs que les autres... Je suis inquiet.

12 OCTOBRE 2013

Vive la Coupe du monde au Qatar !

N'en déplaise à certains, j'aimerais prendre la défense du Qatar, pays organisateur du Mondial de 2022. Une initiative personnelle, totalement bénévole ! Parce qu'il se dit que Zidane aurait touché 11 millions d'euros juste pour déclarer : «Je suis pour l'attribution du Mondial au Qatar» (la réplique la plus chère de l'histoire de l'humanité), c'est important de le préciser. Oui, je trouve les critiques vis-à-vis du Qatar un tantinet injustes : que ce pays plus petit que la Corse et très peu peuplé ait réussi à décrocher l'organisation de l'événement sportif le plus suivi de la planète est un véritable exploit. Confier la Coupe du monde au Qatar, c'est comme demander à la ville de Nancy d'organiser la finale du superbowl américain ou au tennis club de Bois-Colombes, les Internationaux de France de Roland-Garros. Cela suscite fatalement des jalousies.

Ainsi, parmi les nombreux griefs reprochés aux Qataris, arrivent en premier lieu «les conditions effroyables» dans lesquelles travaillent leurs ouvriers népalais et indiens. Le Qatar n'étant pas un pays de foot, il a fallu construire des stades au milieu du désert sous des températures caniculaires de 50 °C. Mettez une barquette de purée cinq minutes au micro-ondes, vous comprendrez. La nuit, sans doute pour que les ouvriers continuent à se tenir chaud afin d'éviter un choc thermique trop important, ils sont parqués à onze par chambre (une équipe de foot!) et comme il n'y a aucune hygiène, aucun soin et très peu d'eau potable, certains préfèrent ne pas se réveiller. À l'heure où j'écris ces lignes, 119 Népalais et 83 Indiens ont opté pour une éternelle grasse mat. On notera au passage un léger avantage pour les Indiens qui devraient, avec l'accord de la Fifa, accéder en phase finale du peuple le plus résistant à la chaleur. Avec une moyenne d'un décès par jour, le nombre de morts en 2022 devrait avoisiner les 3 400 !

Si *de facto* le problème des retraites est résolu au Qatar, en revanche, les associations humanitaires, qui n'ont rien compris au foot business, crient au scandale. Je rappelle que si des Népalais meurent de chaud, c'est quand même pour construire des stades climatisés où Lionel Messi pourra jouer au frais. On paye pour apprendre, on sait désormais que pratiquer un exercice physique sous 50 °C est un peu risqué.

Je signale aussi aux associations humanitaires que les Qataris ont le mérite d'accueillir en masse leurs immigrés, à la différence des Européens qui préfèrent les laisser se noyer au large de Lampedusa.

Trop d'eau d'un côté, pas assez de l'autre.

On reproche aussi au Qatar d'être une dictature. Des broutilles à vrai dire : condamner un poète à perpétuité pour avoir critiqué le régime, risquer onze ans de prison pour homosexualité... Le sémillant président de la Fifa, Sepp Blatter, vient de trouver la parade en exhortant «les supporteurs gays à se passer de sexe lors du mondial au Qatar».

Je suis d'accord avec lui. Il faut laisser du temps à nos amis qataris, ne pas brusquer une culture différente de la nôtre. Et puis, quand j'entends les milliers de supporteurs du PSG hurler : «Marseille, Marseille, on t'encule!» devant le prince Al-Thani propriétaire du club, je me dis que les mentalités évoluent, nous sommes sur la bonne voie.

Sinon, parmi les autres griefs faits au Qatar, n'oublions pas les nombreuses accusations de tricheries venant entacher l'attribution du Mondial à l'émirat : pots-de-vin, corruption au sein même de la Fifa, exclusion de certains membres, pays achetés... avec un accessit pour l'Argentine qui aurait palpé 60 millions d'euros pour accorder son vote. Des agissements qualifiés de «maladroits» par Blatter, l'homme qui conseille aux supporteurs gays de se la mettre sous le bras pendant la durée des épreuves. Une fois de plus, je prendrai la défense des Qataris. Et toujours gratos! Quand on sait que Platini s'est engagé pour le Qatar après avoir été reçu à l'Élysée en présence du prince Al-Thani et que son fils est l'avocat du PSG, c'est important de le redire : gratos! Soyons réalistes, le foot à la papa appartient au passé. L'amour du club où l'on passait le plus clair de sa carrière, l'épopée des Verts, les maillots de Platoche qui dépassaient du short, la choucroute de Robert Herbin, l'angélisme de Rocheteau posant fièrement à Geoffroy-Guichard devant la coccinelle rutilante qu'il vient de s'offrir... c'est fini. Aujourd'hui, le joueur gallois Gareth Bale vient d'être transféré pour 100 millions et Valbuena s'en prend violemment à un minot qui a eu le tort de taper un peu fort sur la vitre fumée de sa Maserati pour obtenir un autographe. En conclusion, signalons que les stades du Qatar sont entièrement démontables et qu'après la Coupe, ils seront offerts à des pays émergents. Encore un beau geste de nos amis qataris. Peut-être que le Népal recevra un stade, en espérant qu'il lui restera suffisamment d'ouvriers pour pouvoir le remonter.

17 OCTOBRE 2013

L'humoriste et la salope

L'autre jour, ne me demandez pas pourquoi, j'ai rêvé que j'étais l'avocat de Nadine Morano. Je possède un cabinet à Toul, je m'apprête à démarrer ma journée, lorsque la conseillère régionale de Lorraine fait irruption dans mon bureau en hurlant : « Je veux déposer plainte contre Guy Bedos ! Il m'a traitée de "conne" et de "salope". C'est une atteinte aux droits des femmes, un manque de respect intolérable. »

Nadine est une cliente réputée difficile. Accrochée au mur, une note de service rappelle de ne jamais la brusquer, je tente donc de la raisonner :

« Nadine, vous parlez d'atteinte aux droits des femmes, de respect, mais avez-vous toujours été irréprochable ? Souvenez-vous de ce que vous avez dit sur Eva Joly : "Son problème d'image ne vient pas que de son accent, c'est aussi physique."

– Et alors, qu'elle retourne à Oslo, la Norvégienne, avec ses lunettes ridicules !

– Nadine, je vous l'ai déjà dit, arrêtez de jurer comme une charretière, à côté de vous, Véronique Genest passe pour un prix Nobel de littérature. Ne vous étonnez pas après qu'on vous réponde dans votre langue. Bon, êtes-vous sûre de vouloir porter plainte contre monsieur Bedos ?

– Je veux sa peau, je n'en peux plus de cette gauche caviar, moralisatrice !

– Dans quel cadre vous a-t-il insultée ?

– Sur la scène de l'Arsenal à Toul, 1 300 personnes étaient présentes : ma cousine et deux anciennes copines d'école m'ont appelée hyperchoquées !

– Nadine, ce n'est pas l'avocat qui vous parle mais l'ami. Est-ce qu'on ne devrait pas la jouer discrètement, sans tambour ni trompette ?

– Je ne fais pas de trompette, maître, en dehors de Mireille Mathieu et de Carla Bruni, je déteste la musique. »

C'est vrai que j'avais face à moi la femme politique ayant confondu le chanteur Renaud avec la marque de voiture du même nom.

« Nadine, à l'heure actuelle, seules 1 300 personnes sont au courant. On va en parler dans les chaumières à Toul, l'incident reste très local. En revanche, si vous portez plainte, la France entière va s'en gausser. Vous connaissez la phrase de Rivarol : "Il vaut mieux se taire et passer pour un con, plutôt que de parler et de ne laisser aucun doute à ce sujet."

– Franchement, maître, Rivarol est loin d'être un exemple de moralité, s'être tapé la petite Zahia, une prostituée mineure...

– Ribéry ! Nadine, vous confondez avec Ribéry... »

Dans mon rêve, je suis spécialisé dans les clientes à faibles neurones, de fait, je défends aussi Nabilla et Ève Angeli, mais le cas Morano dépasse tout ce que j'ai connu.

«Nadine, puis-je vous poser une question très personnelle?

– Mon âge, maître?

– Pas personnelle dans ce sens. Aimez-vous Guy Bedos? Parce que si vous l'aimez, portez plainte contre lui! Vous allez lui faire une pub considérable. Tout le monde va savoir qu'il est sur scène. Moi-même qui l'ignorais, j'irais volontiers l'applaudir.

– Si vous allez voir son spectacle, je change d'avocat. Oui, je veux porter plainte contre lui. Il faudra me passer sur le corps pour m'en empêcher!»

La perspective de passer sur le corps de Nadine faillit me réveiller totalement, je rattrapai mon rêve *in extremis*.

«Bon, si vous voulez porter plainte, nous allons porter plainte... Mais vous savez quand même que le droit à la caricature existe. Alors, il vous a traitée de "conne" de but en blanc ou c'était argumenté? Parce que s'il a parlé de vos tweets sur scène, s'il a cité la phrase que vous avez dite chez Ruquier: "Le vol de portable à l'arraché, ça n'existait pas avant que les portables n'existent", c'est fichu, on ne peut rien faire. Bedos pourrait même vous attaquer pour procédure abusive!

– Il m'a traitée de conne de blanc en but.

– De but en blanc, Nadine, de but en blanc! Tant mieux, tant mieux. Pour ce qui est du terme "salope", là, je suis plus réservé... Il sait que votre nom de jeune fille c'est Pucelle ?

– Je ne crois pas, maître.

– Il aurait pu dire [dans mon rêve, j'imitais la voix de Bedos] : "Elle est née Pucelle, en plus, la salope !" Et là, il y a une recherche, un jeu de mots, c'est inattaquable.

– Non, il m'a traitée de salope de but en but !

– Vous savez, Nadine, le problème c'est que le mot "salope" comporte différentes significations. D'après le dictionnaire d'Alain Rey, il peut désigner une femme sale, de mauvaise vie, mais aussi... et là ça m'ennuie plus... "une femme qu'on méprise". S'il a parlé de vos nombreux dérapages racistes, de votre définition du bon musulman : "Ne parle pas verlan et ne porte pas sa casquette à l'envers", s'il a parlé de ce jour où, sur un marché, vous vous êtes adressée à un Sénégalais en bêtifiant, en lui parlant comme dans Tintin au Congo... Là, monsieur Bedos a le droit de vous mépriser car c'est méprisable. »

La fin de mon rêve est assez confuse, Nadine Morano s'est remise à hurler... « Thierry Rey n'a aucune légitimité pour écrire un dictionnaire, sa place est sur un tatami. Et vous, votre place n'est pas au barreau mais sur scène, avec tous ces saltimbanques prétentieux et vulgaires ! Je vais aller voir Sarkozy, c'est un bien meilleur avocat que vous, il saura me défendre, lui ! »

Je me suis réveillé dégoulinant de sueur.

26 OCTOBRE 2013

La maladie du président...

Peu de gens le savent, mais le président de la République souffre depuis longtemps d'affablite aiguë, une maladie rare découverte au Canada par le professeur Fellows. L'affablite (de «affable») entraîne chez le malade une dégénérescence du pouvoir de décision: «effrayé à l'idée de déplaire, le sujet hésite, oscille, balbutie et agit sans jamais trancher». Ce trouble lié à une lésion du cortex orbito-frontal frappe très tôt le jeune François.

Traumatisé par un père d'extrême droite, qui, en 1968, oblige toute la famille à quitter Rouen pour déménager à Paris, le bambin (qui doit abandonner ses jouets et tous ses copains) jure au cerisier du jardin de ne jamais heurter personne. Pour le petit provincial, l'arrivée à Paris constitue un choc: avec ses lunettes de vue et son sourire d'ange, il devient vite la risée des cours de récré. D'accord avec tout le monde, incapable de choisir une bande, on le surnomme «Danessa», célèbre crème dessert des années 1960.

François tergiverse en permanence : sport ou étude, vélo ou patin, fille ou garçon... Danessa ou Dalida ? Ses premières amours sont compliquées, il ne sait pas dire non. François multiplie les volte-face. En 1976, alors qu'il réussit à se faire réformer du service militaire, il change d'avis, fait annuler la décision et décroche le grade de lieutenant de réserve (de réserve... il n'est pas certain de vouloir être lieutenant à part entière). Inquiète, sa mère Nicole, assistante sociale, le pousse à faire un métier où il n'y a aucune décision importante à prendre. Lorsque François lui annonce qu'il veut être commandant de bord, elle est catastrophée : « Sur un Paris-New York, si un passager souhaite atterrir à Hawaï, François est capable de détourner l'avion pour le satisfaire. » Au grand soulagement de Nicole et de l'histoire du transport aérien, une sévère myopie empêche notre héros de réaliser son rêve. Qu'à cela ne tienne, il fera de la politique ! Nicole est effondrée. Sitôt admis à l'ENA, il tombe sous le charme de la jeune Ségolène. Fille de militaire, mademoiselle Royal (baptisée « Miss Glaçon » par ses camarades de promotion) a l'habitude de commander. Ravi, François se tient au garde-à-vous. Trente-cinq ans de bonheur et une sexualité sous les ordres exclusifs de Ségolène : « À mon commandement, présentez arme... Fixe ! En avant, marche... Repos ! » Quatre enfants, mais pas de mariage car Ségolène n'a jamais voulu s'y risquer. Au maire qui aurait demandé à François s'il voulait la prendre pour épouse, il aurait été capable de répondre « peut-être ». Au début des années 2000, François rencontre une femme encore plus autoritaire que Ségolène : Valérie Trierweiler, une vraie tweeteuse, une mante religieuse prête à avaler son partenaire après s'être accouplée. Ségolène menace, tempête, rien n'y fait. Pendant des années, François hésite, passe de l'une à l'autre, confond leurs prénoms, demande à revenir. Mais, épuisée, Miss Glaçon coupe définitivement les ponts en 2007. François ne choisit pas, on choisit pour lui. Une attitude qu'il reproduit en politique.

À chaque élection gagnée, la joie de son entourage se teinte d'inquiétude, les commentaires vont bon train : « À Tulle, s'il hésite entre faire construire un rond-point ou un tunnel, il fait faire les deux, l'automobiliste a l'embarras du choix... mais Tulle n'est pas la France ! » Longtemps, Nicole, sa maman, suppliera ses proches de ne jamais lui donner les codes nucléaires s'il devient un jour président. « François n'est pas un va-t-en-guerre, mais pour faire plaisir, il est capable de tout. » Aujourd'hui, François est devenu président... Avec le stress lié à sa fonction, les crises d'affablite s'accentuent : intervenir ou pas, Brégançon ou la Lanterne, cour d'honneur ou grille du coq, droite ou gauche, Valls ou Montebourg ? (prenez les deux ont susurré ses proches, comme ça, vous n'aurez pas à choisir). Tout est sujet à discussion. Pour son premier sommet européen à Bruxelles, il part en train, mais revient en voiture : ne froisser ni la SNCF ni son chauffeur. Même chose pour son régime. François veut ménager son cuisinier et son diététicien, alors il choisit d'être gros six mois sur douze.

Heureusement que Ségolène et Valérie détestent toutes deux les cheveux blancs, sinon il se serait teint la moitié du crâne, se lamente un proche. Caractéristiques de l'affablite : plus les décisions à prendre sont cruciales, plus les symptômes sont aigus. «On passe notre temps à faire tampon», se lamente un ministre en *off*. Le président fait voter le mariage gay, mais accorde une liberté de conscience aux maires. Pareil pour l'affaire Cahuzac : François savait depuis des mois, mais ne voulait pas faire de peine à l'ami Jérôme : saura-t-il rebondir, retrouver un travail, ne pourrait-on pas lui financer une clinique d'implants capillaires. Quant à l'affaire Leonarda, les Français ne connaîtront jamais toute la vérité. Il souhaitait l'adopter avec Valérie, l'héberger à l'Élysée, la prendre en garde alternée : quinze jours à l'Élysée, quinze jours au Kosovo... On n'a pas pu l'empêcher de parler, mais on a limité une partie du désastre.

Une maladie que j'avais détectée
très tôt chez François Hollande,
quand il n'était encore que candidat
à la présidence...

10 JANVIER 2012

Un candidat trop normal...

Eh bien voilà, on y est ! Nicolas Sarkozy talonne François Hollande, plus que deux petits points d'écart, 26 % d'intentions de vote contre 28. C'était la une triomphale du *Journal du dimanche*. D'après l'hebdo du groupe Lagardère, les courbes devraient s'inverser en février et le président passerait en tête ! Eurêka, la stratégie commence à payer !

Il faut dire que Hollande l'a cherché, bien fait pour lui. Même moi, je l'avoue humblement, et je ne le connais pas personnellement, je ne l'ai jamais croisé... mais à force de lire dans la presse que c'est un homme mou, indécis, sans caractère, sans conviction... j'ai fini par le croire. Ma boulangère aussi, mon fruitier pareil :

« Qu'est-ce qu'il est mou, Babar, m'a-t-il lancé l'autre jour.

– Vous le connaissez ?

– Non, c'est un journaliste qui l'a dit hier soir à la télé. Il paraît qu'il peut rester une demi-heure à un feu clignotant sans avancer ! »

En plus, il n'a aucune expérience... Il n'a jamais été ministre, pire, il n'a jamais été président de la République, ni lui, ni son père, ni aucun membre de sa famille. Mon cordonnier m'a dit que son père était docteur et sa mère assistante sociale... Rien à voir avec la politique ! Sarkozy a certes un bilan catastrophique, mais au moins il connaît bien l'Élysée, cinq ans d'expérience. Il a ses habitudes, son bureau, il sait où sont rangés les dossiers, les mallettes... On ne va pas, en pleine crise, se payer le luxe d'un déménagement ! Le temps que l'autre... Flamby prenne ses marques, se décide à occuper tel bureau, à engager tel conseiller... on va perdre six mois. Il faut faire comme au PSG, on changera d'entraîneur quand tout sera au top. Même la compagne de Hollande n'est pas à la hauteur, Valérie Trierweiler... Un nom imprononçable. On dirait un vin d'Alsace ou une marque de fromage hollandais. Une femme avenante et très intelligente paraît-il... Mais pas assez femelle et manipulatrice ! Pas le genre à favoriser un pote musicien pour qu'il obtienne plusieurs millions d'euros de subvention sans appel d'offres, pas le genre non plus à bombarder ses meilleurs copains, ministre de la Culture ou directeur de France Inter. Les Hollande sont trop communs, trop honnêtes pour occuper l'Élysée ! N'oubliez pas non plus que la situation internationale est catastrophique. Il y a un mois à peine, l'euro devait s'écrouler, c'était le sommet de la dernière chance, on allait devoir s'éclairer à la bougie, se chauffer au silex, revenir au char à bœufs... Et Sarkozy nous a sauvés ! Je n'y connais rien en économie, mais je l'ai lu dans la presse, entendu à la télé. Mon garagiste aussi... Il paraît qu'à 3 heures du matin, alors que Sarko et Merkel étaient au chevet de l'euro, Hollande, lui, inaugurait la foire aux livres de Brive-la-Gaillarde. Et demain, si l'Iran menace le monde d'une guerre nucléaire, Barbapapa ira visiter la 15e convention du vinyle à La Ferté-Bernard?

Cet homme-là ne peut pas être président. Il nous faut un flambeur, un Tony Montana. Quelqu'un capable de claquer 35 000 euros dans une suite au Majestic pendant le G20 de Cannes, quelqu'un prêt à mettre 185 millions d'euros dans un avion, juste pour ne plus avoir à faire le plein quand il va à Pékin. Hollande... il a un look à aller au Pierre et Vacances et à prendre un pass Navigo pour se rendre à l'Élysée... La honte, un vrai bolosse! Cet homme n'a pas d'entregent, aucun culot. En visite chez Liliane Bettencourt, il ne serait jamais reparti avec une valise. Il lui aurait apporté une boîte de chocolats payée sur ses propres deniers.

«Je vous offre un chocolat, François?

– Non merci, madame, je suis le régime Dukan.

– Ducon?

– Dukan, madame, Pierre Dukan!»

Et puis vous avez vu comme il perd son sang-froid, Babar. Il aurait traité notre bien-aimé président de «sale mec». Le journaliste Matthieu Croissandeau du *Parisien* est formel: debout sur une table, la bave aux lèvres, les yeux injectés de sang, le candidat socialiste éructait tel un dément «Sale mec, sale mec, sale mec!» Hollande s'est défendu en disant qu'il s'agissait d'une imitation, qu'il ne parlait pas en son nom. Ça, c'est une excuse de mou. On n'assume pas, on se déballonne. Heureusement, Morano est montée au créneau : «Hollande s'est discrédité, il n'est pas digne de concourir à la présidence.» L'Ève Angeli du gouvernement qui nous parle de dignité !

Voilà, voilà ! Ça, c'est une véritable équipe de campagne, une équipe de tueurs sans foi ni loi, pas une bande de Bisounours timorés et émasculés. «Je veux être un président normal», mais quel ENNUI ! Ça ne fait pas rêver un président normal. Depuis cinq ans, c'est *Les Tontons flingueurs, Le Parrain, Scarface*... Et là, on veut nous projeter «Les Aventures de Oui-Oui et monsieur Potiron», on n'est pas d'accord, on veut que le spectacle continue. C'est la «servitude volontaire» de la Boétie. La victime est dépendante de son bourreau et le bourreau de sa victime. Aujourd'hui, nous sommes attachés à eux, shootés à leur sans-gêne, addicts à leurs passe-droits, drogués à leurs mauvaises manières... Impossible de décrocher. Comme dans une mauvaise téléréalité, on veut que le plus nul revienne en deuxième semaine.

2 NOVEMBRE 2013

La famille décomposée

Face à la montée inexorable du chômage, au désespoir des Bretons, au ras-le-bol fiscal, à la baisse du pouvoir d'achat, François Hollande a décidé de sortir son arme secrète : un statut pour les beaux-pères ! J'imagine que tous les beaux-pères de France et de Navarre venant d'être licenciés des usines Doux, Gad, Continental et La Redoute... accueillent cette nouvelle avec soulagement. Comme notre président traverse une sorte d'état de grâce, qu'il réussit tout ce qu'il touche, il peut se consacrer en toute quiétude aux grandes réformes sociétales. Après le mariage gay et avant le débat sur la fin de vie, place au statut des beaux-parents, appelés aussi « tiers ».

Il y a dix ans, j'ai rencontré l'amour de ma vie, Muriel ma moitié... et comme nous avions déjà chacun trois enfants, nous sommes devenus tiers. Tiers tous les deux, nous avons fait une fille à part entière qui a désormais trois demi-sœurs et trois demi-frères. Ce qui nous fait un total de quatre enfants chacun...

soit sept à deux. (Si vous n'avez pas tout compris, en vacances, nous devons louer deux voitures!)

Personnellement, en tant que beau-père, je ne suis pas certain d'avoir envie d'un statut particulier. Je l'avoue piteusement, parfois ça m'arrange de n'être que «beau-père». Dans le cas de Léopold, par exemple, mon beau-fils le plus turbulent, le fait d'avoir le droit de l'accompagner à l'école, sans avoir celui d'aller le chercher n'est pas pour me déplaire. Pouvoir le laisser à la charge de ses professeurs trois, quatre jours d'affilée... m'arrange assez! Cependant, je peux comprendre que certains souhaitent un statut, une reconnaissance. C'est vrai que, même si je n'ai pas mis la petite graine, je me suis coltiné tout le reste : les repas, les devoirs, les histoires le soir, les sorties au cinéma, Aquaboulevard... Quand tu as emmené des enfants à Aquaboulevard (qu'ils soient à toi ou pas)... tu peux prétendre avoir des droits à vie sur eux! Quand je vois que Léopold, que j'ai connu au berceau, n'hésite pas à roter quand il est avec moi en voiture, je me dis que, même si je n'ai pas mis la petite graine, il est aussi à l'aise avec moi que si j'étais son père.

Beau-père est un poste injuste. Non seulement, tu ne mets pas la petite graine (ce qui selon les tempéraments procure entre cinq minutes et une heure de plaisir), tu n'as aucun droit parental, mais, qui plus est, tu te tapes vingt ans de corvées, d'éducation et de sorties scolaires. Beau-père est un poste compliqué. Souvent, quand j'interdis à mes beaux-enfants de faire quelque chose, ils m'opposent un sentencieux : «Maman a dit que je pouvais!» Sous-entendu, tu n'as pas mis la petite graine, donc j'ai le droit de geeker jusqu'à 2 heures du matin, même si j'ai contrôle de maths demain à 8 heures. Attention, parfois ils peuvent me considérer comme leur père. Si, un samedi matin, il n'y a plus de corn-flakes, ils peuvent me dire : « Putain, Stéphane, fais chier, t'as pas fait les courses, y a jamais rien à manger dans cette maison ! »

La difficulté avec les beaux-enfants, c'est que tu ne peux pas lever la main sur eux. Du coup, tout prend beaucoup plus de temps : « Léopold, pour la sixième fois, les chats n'aiment pas l'eau. Est-ce que tu aurais la gentillesse de bien vouloir le sortir de la baignoire ? » Cela dit, depuis qu'en Haute-Vienne un père a été condamné à une amende de 500 euros pour avoir donné une fessée à son fils, mes enfants se conduisent comme mes beaux-enfants : immunité totale, impossible de les faire obéir. Le « si tu me tapes, je le dis à maman » est devenu « si tu me tapes, je porte plainte ». L'autre jour, Léopold a tenté de négocier. « Donne-moi une baffe, je porte pas plainte, mais tu me donnes 250 euros, t'économises 50 % sur l'amende... – Va te faire voir, Léopold. – OK, je laisse le chat dans l'eau ! »

Sincèrement, je ne pense pas qu'un statut officiel change quoi que ce soit. Une statue, oui ! Ou une plaque commémorative : « Ici, dans cette maison, monsieur Guillon a élevé sept enfants dont trois qui n'étaient pas à lui. » Certains souhaitent aussi obtenir un statut pour pouvoir conserver un lien avec les enfants en cas de nouvelle séparation. Mais dans ce cas-là, où s'arrête-t-on ? Le mariage pour tous offrant de multiples possibilités, imaginons que je divorce de

Muriel pour me marier avec un homme. Dès lors, mon tout nouveau statut de beau-père me permettra-t-il d'emmener mes beaux-enfants en vacances à Mykonos avec mon mari Geoffroy ? Pourrais-je prendre mes beaux-enfants un week-end sur deux : «Ne rigole pas bêtement Léopold, ce soir, je sors et c'est Geoffroy qui est chargé de t'empêcher de geeker ! Et si tu chantes encore une fois *YMCA* des Village People, je t'en colle une ! [...] Ça me coûtera peut-être 500 euros, je prends le risque !»

Ne faudra-t-il pas alors penser aussi à un statut pour Geoffroy ? Si Léopold s'attache à mon nouveau compagnon, si tout se passe à merveille au point qu'il se mette à roter dans la voiture de Geoffroy (signe qu'il l'aura définitivement adopté), Geoffroy pourra-t-il obtenir un statut de «beau-père bis», de «tiers de substitution» ? S'il l'emmène à Aquaboulevard : oui ! Définitivement oui !

9 NOVEMBRE 2013

« In bed with Sarkozy »

Je l'avoue, j'ai été bluffé par *Campagne intime*, le documentaire consacré aux trois derniers mois de la campagne présidentielle de Nicolas Sarkozy. Mardi dernier, la chaîne D8 (l'enfant anormal de Canal +) promettait de nous montrer «un président comme on ne l'avait jamais vu!». Un pari à haut risque. En effet, en trente-sept ans de vie politique, Nicolas Sarkozy était déjà apparu sous toutes ses coutures : à pied, en vélo, à cheval, en jogging à l'Élysée, en maillot au cap Nègre, en Ray Ban à la Lanterne... Marié, divorcé, célibataire, reremarié, aucune période ne nous a été épargnée. Du petit Louis lui souhaitant «bonne chance» au meeting du Bourget à Cécilia tirant la tronche le jour de son investiture, sans oublier Carla en Blanche-Neige botoxée, intronisée un soir d'hiver à Eurodisney.

«Sarkozy tel qu'on ne l'a jamais vu!» et comme on l'a déjà beaucoup vu, D8 allait devoir frapper très fort. Dans le landerneau télévisuel, les spéculations allaient bon train. Allait-on voir une sorte de *«In bed with*

Sarko», Sarko nu sous sa douche ? Faisant l'amour à Carla ? Le titre choisi pour ce doc contenait à lui seul une foule de promesses *Campagne intime*. On imaginait un mixte de *Confessions intimes*, l'émission de téléréalité produite par TF1, et de *Bas les masques* présentée par Mireille Dumas. Pour l'occasion, Sarko allait s'allonger et Mireille avec sa douceur, son empathie naturelle, obtenir ce qu'aucun juge d'instruction n'avait jamais obtenu : «Nicolas, bonjour. – Bonjour Mireille. – Nicolas, je crois qu'aujourd'hui, vous avez envie de parler, de vous confier, d'ouvrir votre cœur aux Français. – Absolument, Mireille. – Nicolas, qu'est-ce qui s'est passé à Neuilly chez madame Bettencourt ?»

Sarko tel que nous ne l'avons jamais vu, ce serait Sarko disant la vérité !

L'affiche était alléchante, tous les ingrédients d'un succès réunis, nous allions nous régaler. Afin d'obtenir ce moment d'authenticité sans concession, D8 a choisi une réalisatrice de premier plan : l'ancien mannequin Farida Khelfa. Capable de marcher sur une estrade de trente mètres sans regarder une seule fois ses pieds et tourner pile poil au bon endroit, la belle possède un sens du cadre hors pair, qualité indispensable pour placer une caméra. Témoin au mariage du président, amie de Carla depuis dix-sept ans, elle présente le profil idéal pour déstabiliser le couple et poser les questions qui fâchent. Dernier atout pour mener à bien sa mission, Farida est aujourd'hui spécialisée dans les reportages sur la mode. D'un courage sans pareil pour demander à Anna Wintour si elle va conserver sa frange ou à Lagerfeld si ce n'est pas ridicule d'avoir dédié sa collection printemps-été à son chat Choupette, l'ex-top possède un caractère bien trempé.

Lors d'une interview exclusive accordée au magazine *Gala,* Farida Khelfa confiait ne pas avoir obéi à Nicolas Sarkozy lorsque ce dernier lui avait demandé de couper sa caméra. «Je suis restée et j'ai quand même filmé!» Ce qui a contribué à faire monter un peu plus la température dans les rédactions : «Quelles étaient ces scènes interdites à la caméra?» Allait-on pénétrer au domicile de Balladur? «Édouard, j'peux prendre cette valise, la vieille m'a pas donné assez aujourd'hui. Faut payer le meeting du Trocadéro – Allez-y Nicolas, mais faites attention, c'est tout ce qu'il me reste de Ziad Takieddine.» Dans la même interview, Farida ajoutait : «Je n'ai subi aucune censure, Nicolas et Carla n'ont exigé aucun droit de regard.» Ça sentait le souffre, D8 tenait un truc énorme.

À 20h50, le reportage démarre et d'entrée la couleur est donnée : pas de tour de chauffe, Farida taille immédiatement dans le vif : «Sarkozy fait des papouilles à sa fille, boit un café, regarde un match du PSG.» Les séquences se succèdent de plus en plus fortes : le président assis à son bureau récite du Bob Dylan, le voici plus tard à bord d'un jet privé tapant dans ses mains pour accompagner Carla qui chante du Dalida. On est saisi. Les phrases politiques s'enchaînent, de celles qui marqueront l'histoire : «On ne peut rien faire contre les bajoues», ou bien encore : «Ma femme, elle croit que parce qu'elle a une frange elle fait plus jeune.»

Une heure plus tard, pari gagné : le reportage a tenu ses promesses, le résultat est à la hauteur de l'énorme *teasing* orchestré par D8. On se remémore soudain le courage nécessaire à Farida pour garder sa caméra allumée alors que le président l'interdit, sa lutte pour continuer à faire son métier de journaliste : quand la petite Giulia régurgite, quand Carla choisit un manteau pour masquer ses rondeurs ou quand Nicolas déclare qu'« il n'y a rien de plus élégant que les bottes cavalières ». À cet instant, les fabricants de mocassins peuvent très mal le prendre. Il y avait un vrai choix politique à faire, il fallait continuer à filmer, oser !

Dans *Gala,* Farida confiait encore être fan du cinéaste Raymond Depardon. La filiation est évidente. J'en profite au passage pour saluer le fair-play du couple Sarkozy qui a autorisé la diffusion de *Campagne intime.* Rappelons que Giscard d'Estaing avait interdit pendant vingt-deux ans celle de *1974, une partie de campagne,* le reportage que lui avait consacré Raymond Depardon. Une autre époque...

Un autre grand spécialiste
de la mise en scène de soi-même.
Le plus doué d'entre tous,
le champion toutes catégories !

La guerre, en l'adorant !

Je suis un peu inquiet. Je me demande si la presse a suffisamment parlé de l'action de BHL en Libye. Les gens savent-ils à quel point il a contribué à la victoire finale ? Si la plupart des journaux se sont prosternés devant son dernier ouvrage : *La Guerre sans l'aimer,* en revanche, pas une ligne dans *Autoplus, Maison et Jardin* ou *30 millions d'amis* ! J'ai peur que l'éclairage médiatique n'ait pas été assez fort.

Bon, je sais qu'un film est en préparation. Oui, prévoyant, notre philosophe s'était déplacé avec une équipe de cinéma. Pourvu qu'il ait pensé à la 3D ! Les photos prises par son photographe Marc Roussel sont tellement belles qu'on a envie de voir Bernard en relief. D'habitude, les images de guerre sont si moches : les cadavres gonflés, purulents, entassés à la va-vite... saluons ici un véritable travail artistique : Bernard a su réconcilier la guerre avec le beau. Il y a bien eu des tentatives par le passé : Clooney au Darfour, Adriana Karembeu en Éthiopie... Mais jamais avec autant d'élégance !

Évidemment, une telle maîtrise nécessite des heures et des heures de travail. On pense que c'est facile de poser comme ça sur des ruines encore fumantes où se trouvent sans doute ensevelis deux, trois enfants. Mais c'est un métier ! Je défie quiconque, en costume bleu nuit, chemise blanche et mocassins impeccablement cirés, de rester dans la poussière et la mitraille sans se dégueulasser immédiatement !

Ça suppose aussi une logistique et un personnel hautement qualifié. Un peu comme au cinéma : une assistante époussette Bernard, une autre s'occupe du pli de son pantalon, une troisième ébouriffe savamment sa mèche. Notre héros ne doit pas être trop propre. Si son costume est impeccable, son visage doit être marqué par la guerre. Il y a un cahier des charges : « Creuser les cernes, jouer la fatigue, l'usure du conflit. Même s'il vient tout juste d'arriver en Falcon, le sujet doit donner l'impression d'avoir combattu ! » Au minimum d'avoir bivouaqué avec les révolutionnaires. Il partagera d'ailleurs avec eux « un mouton au riz graisseux », sans tacher sa chemise Charvet ! Un indéniable savoir-faire doublé d'une véritable expérience : Algérie, Bosnie, Angola, Sri Lanka... plus de quarante années passées sur les lignes de front entrecoupées de brèves périodes de répit à l'hôtel Raphaël, sa base arrière.

Résultat, Bernard porte les conflits comme personne. Triste et pâle dans les rues de Sarajevo, il illumine la pellicule dans la campagne afghane. Le pakol, chapeau de laine afghan, lui sied à merveille. Il est probable que si un jour l'Écosse sombrait dans une dictature sanglante, BHL, qui déteste porter le kilt, ne

prendrait pas position. Rendons hommage à Bernard !
En supplément du livre et du film, pourquoi ne pas
éditer des figurines ? BHL en Bosnie, BHL au Rwanda...
avec un coffret Arielle Dombasle, parfaite en Barbie
Casse-Noisette.

Attention, Bernard n'est pas seulement une icône
de la mode, un David Beckham de la révolution, c'est
aussi « un ministre de l'Intérieur bis », un maître de la
diplomatie parallèle et secrète. Entre deux séances de
pose sur les hauteurs de Benghazi, il parvient, à l'aide
d'un vieux téléphone satellitaire, à joindre Sarkozy.

Ce récit passionnant est consigné noir sur blanc
dans son livre. Vendredi 4 mars : « – Accepterais-tu de
recevoir les Massoud libyens ? – Écoute, je suis en train
de faire des exercices d'accouchement sans douleur
avec Carla, mais bon, viens avec tes amis libyens, si tu
veux. » La phrase sur le yoga, bien qu'historique, mais
pas très rock and roll, a été supprimée du livre. Six
jours plus tard, Bernard, accompagné de trois émis-
saires du CNT, débarque à l'Élysée. Le président, encore
essoufflé, le reçoit en jogging. Dix minutes plus tard,
BHL a réussi son exploit : convaincre Sarkozy d'organiser des frappes aériennes sur les positions kadhafistes.
Un moment d'histoire relatée, seconde après seconde,
dans le très beau *La Guerre sans l'aimer*.

Jeudi 10 mars : « Je viens de travailler mon périnée
avec Julie Imperiali, la coach de Carla, tu devrais le
faire, à ton âge, c'est excellent ! [passage supprimé du
livre]. – Nicolas, je te présente mes amis, il faut les
aider à bombarder Kadhafi. – D'accord, mais je veux
être le premier à voir les photos ! Tu sais comment

tu t'habilles? – J'ai rendez-vous chez Dior demain, j'hésite entre deux modèles. – Prends du sombre, c'est ce qui te va le mieux. – Nicolas, j'ai besoin de l'heure et du lieu des bombardements, Roussel est formel : pour que la photo soit belle, il faut que ça fume encore ! Et surtout pas un mot à Longuet et Juppé, ils ont un côté plouc, sur la photo, ça ferait tache ! – Très bien, fais-moi confiance, ils apprendront les bombardements en regardant LCI. »

Voilà en quelques lignes un résumé de *La Guerre sans l'aimer*. Achetez-le ! Dans toute l'histoire de l'humanité, c'est la première fois qu'un président de la République bombarde un pays sur les conseils d'une personnalité du show-biz. Aujourd'hui, Juppé et Longuet redoutent que d'autres intimes du président, comme Clavier ou Barbelivien, n'aient ce type d'envie. Notre philosophe national a réussi un coup de maître. Seul François Mitterrand s'était trompé à son propos. Dans son livre *L'Abeille et l'Architecte*, il avait écrit : «Je me flatte d'avoir pressenti en ce jeune homme grave le grand écrivain qu'il sera. Un danger le guette : la mode.»

16 NOVEMBRE 2013

Chouchen et kouign-amann

Il paraît que ça va péter, que la France est au bord de l'explosion sociale, que nous sommes dans une période préinsurrectionnelle ! D'après certains observateurs, les similitudes avec la Révolution française sont troublantes : une crise financière sans précédent, une population étouffée par l'impôt, un monarque affaibli et sans autorité. « En 1789, les barrières de Passy ont été incendiées tout comme les portiques de l'écotaxe ! » Nous allons droit à la catastrophe ! Ce n'est pas Élizabeth Teissier qui parle, mais Alain Madelin sur Europe 1.

Je suis, c'est vrai, un inquiet de nature, faisant partie de ceux qui avaient stocké du sucre et de l'huile au début de la guerre du Golfe. Alors hier, après avoir discrètement rempli deux chariots de matières premières dans mon Shopi habituel et pris en photo le radar de la rue Gambetta pour que les enfants aient un souvenir de « comment c'était avant », je suis monté me coucher perclus d'angoisse. Énervé par les questions de Muriel sur la présence de trente bouteilles d'huile dans la cuisine, je me réfugiai dans le sommeil et ma dernière image fut mon *Libé*, avec, en une, un immense bonnet phrygien. Quelques instants plus tard, bercés au son du biniou et de la bombarde, ma femme et moi dansions une gavotte endiablée dans un festnoz à la Bastille. Muriel, très sexy dans son costume traditionnel, une jupe de satin noir ornée d'un col en dentelle, arborait une coiffe bigoudène du plus bel effet. Je portais pour ma part un chapeau breton en feutre, un ceinturon et une paire de sabots. Nous étions magnifiques, mais j'étais très essoufflé et n'arrivais pas à suivre le rythme :

« Je n'en peux plus, j'ai l'impression de peser 100 kilos !

– Il faut que tu arrêtes les crêpes, les caramels au beurre salé et surtout le kouign-amann, me dit Muriel, le kouign-amann c'est du beurre et du sucre !

– Je n'y peux rien, mon amour, le comité révolutionnaire est formel : menu breton obligatoire. Ajoute à cela l'andouille de Guéméné, le josken et la galette saucisse... comment veux-tu que je maigrisse !

– Fais comme moi : artichauts, choux-fleurs, oignons de Roscoff et fraises de Plougastel. Tu ne prends pas un gramme et c'est admis par le comité.

– Je m'en fous du comité, je rêve d'une bouillabaisse, d'un couscous, d'un aïoli...

– N'y pense pas ! Cyril Lignac a été viré pour avoir cuisiné une flamiche picarde sur TV Breizh, il était censé faire un far aux pruneaux.

– TV Breizh, mais qui regarde TV Breizh ?

– Tout le monde, c'est la seule chaîne autorisée. Hier, il y avait de la musique celtique sur TV Breizh 1 et du gouren sur TV Breizh 2.

– Du gouren?

– De la lutte bretonne si tu préfères, mais tu vis sur Mars ou quoi!»

Muriel, une Paimpolaise pur jus, était bien plus au fait que moi. Depuis six mois, les Bretons sont entrés dans Paris et trustent tous les postes importants: Philippe Gildas dirige TV Breizh, Yoann Gourcuff anime *Quimper Foot,* Olivier de Kersauson *Rire en Armorique,* une resucée des *Grosses Têtes* en langue bretonne.

Le gouvernement Ayrault est tombé et *Bro gozh ma zadoù* interprétée par Nolwenn Leroy (il n'y a pas que des bonnes nouvelles) remplace dorénavant *La Marseillaise.* On s'habille, on mange, on pense breton. Arnaud Montebourg jubile: la France entière s'habille en marinière! Bref, si l'on déplore quelques heurts (plus aucun radar en service entre Paris et Rennes), la révolution armoricaine s'est globalement déroulée en douceur.

Alors qu'épuisé, je m'étais assis, abandonnant Muriel sur la piste de danse, un type habillé en capitaine Haddock (sous prétexte qu'il a fait dans sa vie deux sorties en mer) me raconte que Bernard Tapie et ses fils ont été suspendus à un portique écotaxe: «À chaque passage de poids lourd, ajoute-t-il, on compte un euro. Une fois le chiffre de 403 millions atteint (somme qu'ils avaient dérobé aux contribuables dans l'affaire du Crédit Lyonnais), Nanar et ses rejetons seront décrochés.»

J'apprends pêle-mêle que Jérôme Cahuzac nettoie le littoral breton, Jacques Servier doit avaler tous les jours deux boîtes de Mediator, Sarkozy travaille chez madame Bettencourt (ménage, déjeuner, toilette intime), Frigide Barjot nommée maire du IVᵉ arrondissement de Paris est obligée de marier avec le sourire tous les homosexuels du Marais... Je découvre encore que François Hollande, sommé d'épouser Leonarda, a poussé le zèle jusqu'à lui faire un enfant pour être sûr qu'elle ait ses papiers (Natacha Polony est désignée marraine), les Balkany ont été « amoco-cadizés »...

« Amoco-cadizé ? questionnai-je interloqué.

– C'est un supplice breton, me répond le capitaine Haddock, créé en 1978 suite au naufrage de l'*Amoco Cadiz*... Le condamné est recouvert de fioul et de plumes de mouettes puis exhibé en place publique. »

C'était une révolution joyeuse, un brin chauvine et très folklorique. Les Bretons nous vengeaient avec le sens de l'humour. Je me réveillai.

Malheureusement... ce n'était qu'un rêve. Muriel dormait, magnifique, avec une goutte de Chanel N° 5.

23 NOVEMBRE 2013

Semaine du rire à *Libération*...

«Écrire un papier drôle et facétieux alors que dans la semaine un jeune photographe s'est fait tirer dessus dans le hall du journal où vous travaillez.» S'il existait une école du rire, ce pourrait être l'exercice de fin d'année pour obtenir son diplôme, son brevet de «comique tout terrain». Rire à tout prix quels que soient les événements.

Je me souviens lors du 11 septembre 2001, j'étais chroniqueur sur la chaîne Comédie et Dominique Farrugia m'avait dit : «Alors, Guillon, qu'est-ce que tu as prévu de drôle aujourd'hui?» Impossible de lui répondre : «Je propose un coffret Ben Laden pour Noël... Deux tours en Lego avec un avion, ça va amuser les enfants!»

Ce jour-là, la France entière était rivée devant les journaux télévisés et nous étions obligés, mes camarades et moi, de faire les pitres sur Comédie. Vous imaginez la solitude de Cyril Hanouna à poil au Monoprix d'en face, essayant de distraire la poignée de dingues qui avait décidé, malgré les circonstances, de regarder l'émission! Soyons honnêtes, il y a des moments dans la vie où on n'a pas envie de faire rire, ce n'est pas le propos tout simplement.

Mardi, à la conférence de rédac, alors que tous les journalistes proposaient un sujet en corrélation avec le drame : «Liberté de la presse, droit d'informer, démocratie en danger...», j'ai dû me faire violence pour lever le doigt et soumettre mon idée de papier :

«Si ce soir on se qualifie au Mondial, j'ai pensé à un sketch sur Zahia et Ribéry fêtant l'événement dans les entrailles du Stade de France?

– Plus tard, Stéphane, c'est pas le moment.

– Tu es sûr, Nicolas?

– Certain.»

Je l'avoue cette semaine, je me suis senti un peu décalé au sein du journal, presque en trop... Déjà, en temps ordinaire à *Libération*, l'ambiance n'est pas à la déconnade. C'est très sérieux, il y a une sorte de recueillement presque monacal à certains étages : on est à l'écoute du monde! Imaginez une succession d'*open space* avec des gens habillés en noir pour la plupart, style Agnès B, années 1980. Lunettes en écaille, petite barbiche, pipe posée sur le bureau. Au passage, on perçoit quelques mots chuchotés : Al-Assad, internationale, crise économique, montée des extrêmes... mais très rarement : «Tu connais l'histoire de Monique qui commande une blanquette?»

Bref, moi qui en temps normal profite toujours de ce genre d'ambiance pour déconner (mon côté cabot), depuis lundi je me tiens à carreau. Col roulé noir, lunettes sur le front, *Herald Tribune* sous le bras... un sans-faute. J'ai même poussé le zèle jusqu'à prendre un café au service politique, la partie la plus dépressive du journal. Le dernier cri de joie entendu à cet étage remonte au 6 mai 2012, le soir de la victoire de François Hollande. Posées sur une étagère, les deux bouteilles de champagne ouvertes pour l'occasion et la une du journal célébrant l'événement, transformée depuis quelque temps en jeu de fléchettes (une idée de Pierre Marcelle).

Résultat, certains se sont inquiétés de ma soudaine métamorphose et j'ai été dirigé en urgence vers la cellule psychologique mise en place par la direction. « J'ai croisé Guillon aux toilettes répétant en boucle : "Formidable l'article de Guetta sur les profits gaziers en Ouzbékistan." Je crois qu'il est choqué, je préfère vous l'envoyer ! »

Il faut dire qu'au bureau, on est tous trauma. Au moindre bruit, crissement de pneu, porte qui claque, tout le monde se carapate ! (Aussi vite que Denisot au Festival de Cannes.) Plus personne n'ose sortir déjeuner. Les filles font semblant de faire un régime et les mecs, plus fiers, disent qu'ils ont trop tisané la veille et préfèrent s'abstenir.

Mercredi, un type travaillant au service maquette est venu m'embrasser comme si c'était la dernière fois : « Stéphane, je suis venu te dire que j'ai été super content de bosser avec toi. – Alain, Demorand m'a engagé jusqu'en juin, je suis pas parti ! – Écoute, Stéphane, je vais me chercher un kebab, j'ai rien avalé depuis deux jours, j'ai pesé le pour et le contre, j'en ai parlé à ma famille, je prends le risque. »

Les seuls qui osent sortir ce sont Michel Henry et Jean-Louis Le Touzet, nos reporters de guerre. Ils ont couvert l'Irak, l'Afghanistan, la Syrie... alors aller chercher des pizzas... Ils en font un peu des tonnes, mais c'est sympathique. «Michel, je sors acheter dix margheritas et cinq quatre fromages, tu me couvres jusqu'à la place de la République, on bivouaque rue Meslay, mais si c'est trop risqué, on se replie square du Temple!»

Mercredi soir, le tueur a été arrêté et, depuis, tout est à peu près redevenu comme avant : Le Touzet et Henry sont repartis en mission, Roberts et Garrigos dézinguent de nouveau la télé (une spéciale Castaldi est en préparation), Bernard Guetta refume sa pipe sur la terrasse panoramique du journal, François Sergent est passé au pressing chercher les affaires qu'il avait déposées au matin du drame, un type du service politique a raconté une blague (info à vérifier). César, le jeune photographe, va mieux et Nicolas Demorand a une fois de plus promis à ses proches de se mettre au régime : «Les gars, juré craché, je ne me rue plus sur la corbeille de pain!» Signe que la vie a définitivement repris son cours à *Libération*.

30 NOVEMBRE 2013

Sarkozy centenaire à Cavalaire

Cet article d'actualité-fiction a été publié dans notre édition spéciale «*Libération* en 2053» à l'occasion des 40 ans du journal:

Ce dimanche 3 août 2053, tôt dans la matinée, la température à Cavalaire-sur-Mer frôle déjà les 43 °C. La maison de retraite du «Bois Joli» dont la terrasse panoramique donne sur le cap Nègre se réveille doucement. Depuis bientôt cinq mois, le plan canicule a été activé... Du jamais-vu en France! Air climatisé, bouteilles d'eau, linges humides, rien n'y fait, les personnes âgées n'en peuvent plus. Svelta sert les petits déjeuners au troisième étage, l'unité des centenaires: thé glacé et compote (brioche pour les plus fringants).

Alors que Svelta pénètre dans la chambre de monsieur Nicolas, une chose l'alerte. Pour la première fois depuis son admission, le patient de la 12 est étrangement calme, ses épaules sont inertes. Aucune réflexion sur la confection des repas, l'heure du coucher, la qualité des soins. Le vieil homme ne demande à parler ni au directeur de l'établissement, ni au maire de la ville, ni même (ce qui lui arrive en cas de grosse colère) au député de la région. Pire, ses trois portables sont éteints, il est alité et toujours en pyjama ! Svelta sent que la situation est grave car, ce matin, monsieur Nicolas avait prévu d'annoncer son grand retour en politique à ses camarades retraités. Pour faire plaisir à ce pensionnaire prestigieux, les vieux avaient accepté de jouer le jeu à condition de ne pas rater la 66ᵉ saison d'*Amour, Gloire et Beauté* sur «National 2» (ex-France 2).

Tout avait été réfléchi dans les moindres détails, on avait même fait venir de la résidence médicalisée de Toul, madame Morano, la plus ancienne groupie de Nicolas. Accoudée à un déambulateur bleu-blanc-rouge et souriant de toutes ses gencives, la belle attendait dans le hall l'arrivée de son idole... Seulement voilà, monsieur Nicolas n'a pas pu descendre, ses jambes ne le portent plus. Couché, le regard rivé au plafond, l'ex-président semble anéanti. Les photos des tombes de Jean-François Copé et François Fillon, deux événements ayant jadis fait sa joie, se trouvent maintenant en boule au fond de la poubelle.

«J'suis cuit, Svelta, comment j'vais me présenter à la présidence de 2057, si j'peux plus marcher ? Moi qui voulais mourir sur scène !

– Allons, monsieur Nicolas ! Giulia votre fille va passer vous voir cet après-midi...

– Et Carlita, j'veux voir Carlita !

– Elle va venir, on va la prévenir.»

Comment lui dire que Carla est partie il y a trois semaines avec le petit-fils de Mick Jagger?

« En attendant, on va être très gentil et on va manger sa brioche.

– J'ai tout raté, Svelta, tout, j'suis fini !

– Ne dites pas ça, monsieur Nicolas, vous avez été élu deux fois à l'Élysée et 2017 a été un triomphe : « Le président des pauvres », quel slogan ! Franchement, avoir célébré la victoire au Flunch de la rue Caulaincourt à la place du Fouquet's, il fallait y penser ! »

Svelta s'était toujours intéressée à la politique et le vieux président adorait lui parler.

« J'ai tout foiré. Quelle idée d'avoir repris la même équipe...

– Cessez de vous accabler, ce n'était pas tout à fait la même équipe, vous aviez pris Manuel Valls à l'Immigration.

– Il était trop à droite, c'était une erreur ! »

Certes, il y eut aussi la nomination de Bernard Tapie au ministère de la Justice pour enterrer l'affaire du Crédit Lyonnais et sauver Christine Lagarde, mais Svelta ne voulait pas l'accabler. Elle avait commencé à faire la toilette de l'ancien président tout en lui susurrant *Raymond*, sa chanson préférée de Carla Bruni.

« Qu'est-ce que vous êtes gentille avec les personnes âgées, Svelta ! Quand j'pense à ce qu'on a fait à Liliane pour lui faire cracher son oseille, je m'en veux, j'ai peur d'aller en enfer et de retrouver les Balkany !

– Calmez-vous, par pitié.

– Vous savez, quand j'ai été voir Jean Tiberi en soins palliatifs, il avait la trouille de croiser tous les morts qu'il avait fait voter sur ses listes électorales. Je m'en veux terriblement. L'avènement du FN, c'est de ma faute.

– Ne dites pas ça, monsieur le président, la gauche aussi a sa part de responsabilité !

– Le discours de Grenoble, le débat sur l'identité nationale, la fête du vrai travail... c'est moi qui ai proféré ces horreurs !»

Svelta marque un temps, hésite, puis se décide à parler.

«À ce propos, monsieur le président, il est possible que je ne sois plus là le mois prochain...

– Comment ça, qu'est-ce que c'est que cette histoire ?

– Oui, mon père est slovène et avec la règle de la préférence nationale, je dois céder mon poste à un Français pure souche.

– Mais ça fait vingt ans que vous êtes ici, vous êtes naturalisée !

– C'est comme ça... (Svelta hésite à nouveau.) La présidente... Marion Maréchal Le Pen l'a décrété.

– Cette morveuse, cette pimbêche, cette ado attardée !

– La morveuse a 64 ans, président.»

Monsieur Nicolas s'est mis à hurler, à jurer qu'il allait appeler le député de la région pour arranger le dossier de Svelta, mais l'infirmière sait que le vieux monsieur ne pourra rien arranger du tout, le député est FN à l'instar des deux tiers de l'Assemblée. Nicolas lui dit : «À demain.» Demain, c'est le 4 août, la fête des Jean-Marie, décrétée fériée par Marion Maréchal. Svelta sourit, résignée, et quitte la chambre n° 12.

Sarkozy centenaire...
aura-t-il enfin changé?

Lundi 6 mai 2052...

Lundi 6 mai 2052, 7 heures du matin, maison de retraite la Cerisaie à Neuilly-sur-Seine. L'ancien président de la République Nicolas Sarkozy, 97 ans, se lève péniblement. Sa nuit a été courte, ses gestes sont lents, son corps fatigué. Seules ses épaules qui s'agitent en permanence ont l'air en vie. Aujourd'hui n'est pas un jour ordinaire, il y a quarante ans exactement, le 6 mai 2012, c'était un dimanche... Nicolas perdait son travail, son job, le rêve de toute une vie contre un type... avec un nom de fromage, il cherche... sa mémoire lui joue des tours... 42 contre 58, ça il s'en souvient, il ne peut pas l'oublier, une sacrée raclée!

«C'était une crise sans précédent, sans précédent!» Le président, qui n'a jamais réussi à digérer sa défaite, répète inlassablement cette phrase. Le médecin préconise de le laisser tranquille, les autres patients s'en amusent. À la cantine, c'est devenu son surnom: «Sans précédent».

Comme chaque matin, «Sans précédent» branche son iPad, un vieux machin auquel il tient beaucoup et qu'il refuse de changer malgré les sarcasmes de ses petits-enfants. Il écoute Didier Barbelivien, chanteur des années 1980, aujourd'hui oublié, mais que le président adore... «Il faut laisser du temps au temps et nos amours auraient 15 ans et nos pères seraient nos enfants...» Protestations des pensionnaires, coups de cannes contre les cloisons: «Mets du Orelsan, si t'aimes les vieux trucs, au moins c'est bien écrit!» Le président les ignore, il croque tristement dans une chouquette et feuillette *L'Équipe*: son club de prédilection, le Paris Qatari, le PQ (qui a remplacé le vieux PSG), a encore gagné! Un sourire se dessine sur ses lèvres, ce sera le seul de cette triste journée anniversaire.

Au-dessus de son bureau, quelques photos jaunies sont punaisées au mur. Une en particulier attire son regard, celle de sa Carla partie avec sa valise au matin du 9 mai 2012 direction l'Italie. «Chouchou» l'appelait-elle, «nunuche» murmure-t-il. Le président est amer, deux femmes l'auront quitté: Cécilia, au soir de la victoire, et Carlita, au crépuscule de la défaite. Au-dessus de l'ex-première dame, une photo du «prince Jean», l'héritier, le fils aîné... promu un temps à la présidence de l'Epad et qui avait fini par renoncer à la politique après avoir redoublé pour la sixième fois sa première année de droit. À ses côtés, son frère, Pierre, alias DJ Mosey, d'une santé fragile, rapatrié à plusieurs reprises suite à des ennuis gastriques, alors qu'il mixait du rap au bout du monde. Aperçu une dernière fois en 2025, entre Ubud et Denpasar, dans une communauté végétarienne prônant la fin du monde.

Au milieu du tableau, Giulia, sa princesse, son rayon de soleil, chanteuse et perpétuellement amoureuse...

Comme maman ! Giulia qui vient de quitter Justin Bieber qu'elle trouvait trop vieux pour Brooklyn Beckham, un dandy bling-bling qui la fait rire. Elle a aussi flirté avec les deux jumeaux de Céline Dion, Nelson et Eddy... qu'elle trouvait trop cons. Aujourd'hui, Giulia vient déjeuner avec son papa, elle sait que la journée va être difficile et souhaite être là. Dans l'après-midi, une interview est prévue, la première depuis des années, une chaîne d'info souhaite recueillir les impressions du vieux président. Quarante ans que la droite a perdu sans jamais parvenir à revenir au pouvoir, la date est historique. Triste bilan.

«Sans précédent» s'en veut, il s'assoit dans son fauteuil, entoure sa tête de ses mains et tente de rassembler ses souvenirs... Satanée mémoire... Il y avait Guéant... C'est ça Guéant, un vieux monsieur sinistre et aigri... La blonde hystérique, bête à bouffer du foin... Avec un nom italien... Et l'autre, là, la gravure de mode... Venue en bottines rouges Louboutin, alors qu'il voulait parler au peuple... Comment avait-il pu s'entourer ainsi de tels bras cassés ? Et que dire du secrétaire général de son parti, l'arriviste aux dents longues qui s'était vanté des années après de l'avoir trahi, d'avoir voté Hollande... Hollande ! C'est ça le nom du fromage qu'il cherchait. La mémoire lui revient, capricieuse, par saccades... Reste un souvenir que le président occulte, quelque chose de très noir, enfoui dans les limbes de son cerveau... Pire que Guéant... Un visage le hante, rond, dégarni, orné de petites lunettes rondes... Buisson, Patrick Buisson, ancien journaliste d'extrême droite à *Minute*... Il ne veut plus jamais se souvenir... Guéant et Buisson... Ces types lui avaient conseillé de droitiser son discours : l'identité nationale, les civilisations qui ne se valent pas, les conseillers municipaux étrangers qui allaient forcer nos chères têtes blondes à manger de la viande halal à la cantine... Au fil de ces discours d'exclusion, le président n'avait cessé de dégringoler dans les sondages : - 2 %, - 3 %, - 4 %, jour après jour, semaine après semaine, les Français le rejetaient inexorablement. Il se souvient d'un café à Bayonne où il fut contraint de se réfugier comme un malpropre, lui, le chef de la cinquième puissance mondiale. Il entend encore les sifflets, stridents, insupportables.

« Sans précédent » se bouche les oreilles, vieillard recroquevillé dans son fauteuil. Et puis, il y eut cette dernière idée, cet ultime coup de poker... Buisson en rêvait depuis sa jeunesse, il avait insisté, l'avait supplié. Le président revoit encore la scène. C'était début avril, à l'Élysée les genêts étaient en fleurs, Buisson se trouvait dans son bureau, debout, sûr de lui : « Il faut réunir toutes les droites, avait-il dit, tu n'as plus le choix Nicolas, rencontre Marine Le Pen, discute avec elle ! » Comment avait-il pu céder, accepter un tel deal, lui, le Français de sang-mêlé, fils de Hongrois, petit-fils d'un Grec né à Salonique...

6 mai 2052, maison de retraite La Cerisaie, le président pleure doucement, Barbelivien chante, Giulia ne va plus tarder.

Mélenchon... La grande illusion !

C'est toujours triste lorsqu'on a connu un artiste au sommet de son art de le voir péricliter. La scène, les applaudissements, les vivats du public sont une drogue dure. Rares sont les stars qui ont su raccrocher à temps. Pour ma part, j'éprouve une certaine tendresse pour ces êtres qui jusqu'au bout cherchent la chaleur des projecteurs. Dès lors, comment en vouloir à Jean-Luc Mélenchon d'avoir bidouillé son intervention au journal télévisé dimanche dernier ? Alors qu'il nous avait promis « la foule des grands jours » pour sa marche en faveur d'une révolution fiscale, le chef du Front de gauche se trouvait quasiment seul, avenue des Gobelins, quelques minutes avant son direct sur TF1. Branle-bas de combat, panique à bord, il a fallu trouver à la hâte une vingtaine de militants afin que le vieux leader paraisse entouré. Pour que l'illusion soit parfaite, TF1, complice de cette mascarade, avait filmé Jean-Luc en plan serré et Claire Chazal, toujours bienveillante, déclarait : « On aperçoit derrière vous des drapeaux et des gens qui se massent.» La grande illusion.

Seulement voilà, pour réussir son coup, Méluche fut bien obligé de s'entendre avec la chaîne du capitalisme, de Bouygues et «des patrons voyous», copiner avec des journalistes, «cette sale corporation voyeuriste et vendeuse de papier», et tout ça pour la bonne cause : sauver à tout prix les apparences, déguiser la vérité.

Oui, mais manque de bol, un journaliste d'Euronews habitant dans l'immeuble d'en face immortalisa la scène en la photographiant : devant la caméra, un Jean-Luc Mélenchon, seul, perdu au milieu de l'avenue des Gobelins, avec en arrière-plan, tel un décor de carton-pâte, un dernier carré de supporteurs fidèles... cliché dévastateur !

On pense à Sarkozy convoquant des figurants habillés en ouvriers lors de la visite d'un chantier ou au film de Patrice Leconte *Tandem* lorsque Rochefort, animateur *has been*, continue de présenter son émission de radio alors que celle-ci n'est plus diffusée depuis des semaines. Son ingénieur du son, Gérard Jugnot, ayant préféré lui cacher la vérité. Alors, comment expliquer ce désamour si soudain du public ? Comment un homme qui, il y a deux ans, rassemblait 120 000 personnes, peine-t-il aujourd'hui à en réunir 7 000 ? Y a-t-il une malédiction des Jean-Luc ? Jean-Luc Lahaye et aujourd'hui... Mélenchon. Comme toute vedette qui ne remplit plus ses salles, Jean-Luc tente des come-back désespérés, multiplie les provocations : «Cuba n'est pas une dictature ; Pierre Moscovici ne pense pas français mais finance internationale ;

le *Petit Journal* est la vermine du FN ; les Normands sont des alcooliques et des Français arriérés.»

À gauche comme à droite, les critiques pleuvent, ses anciens camarades parlent «de vocabulaire des années 1930, de relents antisémites». Méluche n'en a cure et s'enferre dans la surenchère.

Qu'est-il arrivé au truculent Jean-Luc, cet ancien prof de lettres qui jadis nous réjouissait de sa verve picaresque et de ses mots d'esprit ? Où est passé celui qui nous avait tous fait rire en qualifiant Hollande de «capitaine de pédalo»?

On évoque le syndrome Dieudonné, cet ancien humoriste, aujourd'hui révisionniste, abonné désormais aux jeux de mots nauséabonds.

Pour revenir dans la lumière, Jean-Luc est prêt à tout, n'hésitant pas à renier les raisons pour lesquelles son public l'a aimé. Quand le porte-parole des oubliés, des laissés-pour-compte déclare lors d'une visite au Bourget : «Ne voyager qu'en classe affaires... avoir passé l'âge d'aller se briser le dos en classe économique», on crut d'abord à une énième boutade, Jean-Luc n'avait pas les moyens de s'offrir un tel luxe : 6 000 euros pour un Paris-Pékin sur Air France, plusieurs mois de Smic... impossible ! Puis, le patrimoine de nos élus étant consultable, on s'amusa à vérifier. Avec une indemnité totale de 144 108 euros par an en tant que député européen (exonéré de CSG et de CRDS) plus les droits d'auteur de ses livres et ses biens personnels estimés à 800 000 euros, Jean-Luc peut effectivement s'offrir la classe affaires. De là à vouer aux gémonies les salauds de riches tout en

s'affalant dans le siège inclinable d'un jet au Bourget...
On peut comprendre que dimanche dernier, certains
militants aient préféré économiser le prix d'un ticket
de métro plutôt que d'aller l'applaudir.

Malheureusement, le pire est à venir car le vieux
cabot de la politique ne supporte pas la relève. Ainsi
les Bretons qui lui ont volé sa révolution sont « des
esclaves manifestant pour les droits de leur maître ».
Jean-Luc, à l'instar d'une Chantal Goya, saura-t-il trouver un second souffle, une deuxième jeunesse ?

Sur le modèle d'*Âge tendre et tête de bois*, pourquoi
ne pas envisager une tournée des idoles, une croisière en
compagnie d'anciennes gloires de la politique : Antoine
Waechter, Michel Noir, Arlette Laguiller, François
Léotard. Éviter à tout prix le combat de trop car, un
jour, celui qui amuse encore les médias, l'imprécateur
des émissions de variétés ne fera plus d'audimat... la
surenchère ne suffira plus et les *sunlights* s'éteindront
définitivement.

14 DÉCEMBRE 2013

Faire Falcon à part

Afin de ne pas contraindre François Hollande et Nicolas Sarkozy à passer dix heures en tête à tête dans un Falcon pour se rendre en Afrique du Sud à l'enterrement de Nelson Mandela, l'Élysée a eu la (très) riche idée d'en affréter un second. En ces temps de disette budgétaire, faire Falcon à part pour des raisons de susceptibilité... la présidence normale du candidat Hollande en a pris un sacré coup dans l'aile ! Afin de faire passer la pilule (il est important que la petite mamie, qui cette année paye 500 euros d'impôts supplémentaires sur sa maigre retraite, sache où va son argent !) l'Élysée s'est ingénié à expliquer qu'au final deux Falcon reviennent moins cher que l'Airbus A330 présidentiel. Une info reprise en chœur par l'ensemble de la presse. Personne pour dire à la petite mamie qu'un Falcon compte une quinzaine de places et que Sarko aurait pu s'installer peinard au fond de l'appareil et écouter en boucle le dernier album de sa femme, sans même être obligé de faire la causette à Hollande... qui lui aussi aurait dû écouter sa femme en boucle et sans casque : « T'aurais pas dû dire ça, pourquoi t'as fait ça, pense à ça la prochaine fois... Embrasse-moi sur la bouche ! »

Bref, on est loin de l'élégance d'Obama qui, pour sa part, a partagé son avion avec Bush, Clinton et Carter. Il est vrai cependant que nos deux autres présidents de la République française encore en vie ne pouvaient en aucun cas faire partie de la délégation : Jacques Chirac aurait confondu Nelson Mandela avec Tony Parker. Dès lors, comment lui expliquer qu'on se trouve dans un stade de foot pour rendre hommage à un joueur de basket ? Quant à Valéry Giscard d'Estaing, qui a soutenu corps et âme le régime raciste de l'apartheid, il était délicat de l'emmener. D'ailleurs, on se dit que la France, qui pendant des années s'est distinguée pour son appui sans faille au régime (allant même jusqu'à livrer des armes aux bourreaux de Mandela), aurait pu faire profil bas en se rendant à Johannesburg. Quand on a autant collaboré, on évite d'attirer l'attention par un cortège trop bling-bling. Au-delà du symbole manqué – un ex et un actuel président de la République voyageant ensemble – on peut aussi imaginer avec délice tout ce que nos deux compères se seraient dit durant dix heures de vol. C'est long, dix heures, cela pousse à la confidence... Ils auraient commencé par aborder les sujets politiques du moment. François Hollande évoquant l'énième affaire Hortefeux :

« C'est incroyable ce coup de téléphone du directeur de la PJ à Brice Hortefeux l'avertissant qu'il va être auditionné par un juge, dans quelle société vit-on ?

– C'est un voyou, mais c'est l'parrain de mon fils, j'ai beaucoup d'tendresse pour lui.

– Je me trompe ou c'est bien lui qui avait obtenu un prix pour sa lutte contre le racisme...

– Vous ne vous trompez pas... même lui, ça l'avait fait beaucoup rire ! J'me souviens quand on avait pris l'avion pour aller en Afrique avec Rama Yade, au moment d'atterrir, il lui avait dit : "Fais gaffe, tu pourrais ne pas revenir !"

– C'est fou ce type qui, malgré ses dérapages, toutes les affaires qu'il a aux fesses, continue à entretenir ses réseaux, à avoir de l'influence...

– On a tous nos brebis galeuses président, moi, c'est Hortefeux, vous, c'est Cahuzac. Z'étiez au courant pour ses comptes en Suisse ?

– Depuis le premier jour, avant même de le nommer ministre, mais c'est un ami. C'est lui qui m'a fait mes implants capillaires et a choisi ma couleur...

– Vous devriez laisser un peu de blanc sur les tempes, c'est ce que j'fais, ça fait plus naturel. »

Au bout de trois heures de vol la conversation se détend, devient plus familière. Sarkozy en profite :

« Qu'est-ce que vous m'avez fait rire avec vot'présidence normale, quand vous vouliez vivre dans votre appart du XVe, rue Cauchy... Maintenant, vous faites comme moi, vous profitez des fastes élyséens et des p'tits plats de Guillaume Gomez, en dix-huit mois, vous avez pris 20 kilos ! »

Le président resserre machinalement sa ceinture de sécurité. Sarkozy poursuit sur son élan :

«Les privilèges, les enveloppes de liquide, les chasses présidentielles à Chambord, ça fonctionne toujours ?
– Toujours, rassurez-vous, je n'ai rien changé.
– Vous avez essayé avec Valérie la piscine chauffée de la Lanterne ? Avec la haie de bambous, on peut se baigner à poil.
– Malheureusement non, moi ça me disait bien, mais c'est Valou qui décide de tout !
– Même pour le sexe ?
– De tout ! (Un temps.) Je suis content que vous soyez venu, sinon j'aurais dû me la coltiner.»

Au bout de sept heures de vol, la conversation devient franchement intime, limite grivoise. Sarkozy lui confie qu'il a trouvé cela courageux ses révélations sur sa prostate. Il lui avoue que lui travaille toujours son périnée grâce aux exercices «stop pipi» de Julie Imperiali, la coach de Carla. L'avion a désormais dépassé la Zambie. L'Afrique du Sud approche. Les deux hommes sont maintenant copains comme cochons. Les lieutenants des deux camps interviennent, il faut les séparer, chacun doit retourner à sa place. L'atterrissage est proche. La politique peut reprendre ses droits.

21 DÉCEMBRE 2013

Guéant Connection

Claude Guéant ! Comment en est-il arrivé là ? Comment cet ancien préfet, ce serviteur zélé de l'État ayant occupé au sein de la police nationale les plus hautes fonctions, a pu mardi dernier se retrouver en garde à vue ? Comment cet homme modeste, fils d'employé, a-t-il pu verser sur ses comptes autant d'argent public, des centaines de milliers d'euros, au point que Roselyne Bachelot le traite de «voleur» et de «menteur». On pourrait facilement imaginer une suite des célèbres *Ripoux* de Claude Zidi. Un film dont le héros ne serait plus un simple inspecteur de police affecté au commissariat du XVIIIe, mais le ministre de l'Intérieur en personne ! Nanterre, 17 décembre, 8 heures du matin. Long travelling sur les locaux de l'Office central de lutte contre la corruption et les infractions financières. La lumière est blême, triste, aussi sinistre que le personnage assis entre deux policiers. Voûté, coiffé de petites lunettes dorées, engoncé dans un vieux pardessus gris, on reconnaît

Guéant. Bien sûr, l'homme a droit à des égards, on lui apporte du thé, certains policiers le saluent, lui réclament une photo. On est loin d'une garde à vue traditionnelle avec son tutoiement, son cortège de brutalités, sa fouille corporelle et son toucher rectal, totalement illégal mais parfois pratiqué. L'anus de celui qu'on surnomme «le Cardinal» est sacré. Guéant touille son thé avec un calme olympien. Il sait qu'il n'a rien à craindre... Chirac, Pasqua, Balladur... aucun de ses bons amis n'a été en prison. Cette garde à vue sert à calmer les Français, leur faire croire qu'il est un justiciable comme un autre. Dans huit heures tout sera fini, il sera libre, à la maison. Ni les 500 000 euros en provenance de Malaisie, ni ses «frais d'enquête» perçus en liquide pour un total de 240 000 euros sur deux ans, ni encore son tableau africain cadeau d'Alassane Ouattara qui décore son cabinet d'avocats... Rien, il ne regrette rien. Gros plan sur le thé qui se trouble. Flash-back. Nous sommes en 1991, Claude a 46 ans, il est préfet des Hautes-Alpes, marié à Rose-Marie. Il s'apprête à faire une photocopie, Rose-Marie l'arrête : «Claude, tu ne vas pas utiliser la photocopieuse de la préfecture pour des documents personnels ? – C'est juste une page ma chérie, la quittance de gaz... – Claude, c'est de l'argent public, on commence par un franc et on ne s'arrête plus. Mets ton manteau et va à la Poste ! – Tu as raison mon amour, que ferais-je sans tes conseils avisés !» Fondu au noir, quatre ans plus tard. Claude est au lit avec Rose-Marie et fume nerveusement. «Je ne sais pas quoi faire mon cœur, Charles Pasqua souhaite me nommer directeur de la Police nationale. – Refuse mon ange, c'est un voyou ! Tu vas devoir étouffer toutes ses affaires, tremper dans ses combines... restons dans les Hautes-Alpes !» Gros plan sur un cigare allumé, zoom arrière, on découvre Pasqua, costume croisé, accent du Midi : «Claude, je suis emmerdé, j'ai les juges aux fesses, ils me cherchent des noises pour les 7,5 millions que j'ai palpés dans la vente du casino d'Annemasse. – 7,5 millions, c'est énorme, monsieur le ministre. – C'est rien, c'est une paille ! Vous aussi, mon petit Claude, profitez du système, avec vos photocopies que vous allez faire à la Poste... Bonne mère ! Tout le ministère se paye votre tête ! – Marie est très à cheval sur ce point, monsieur le ministre.» L'image se trouble à nouveau. Nouveau plan sur un cigare, cette fois-ci, c'est Sarkozy qui tire dessus : «Franchement Claude, j'te comprends pas, on va chez la vieille, on la baratine, on regarde un épisode de «P'tit Ours brun» sur Disney Channel et on repart chacun avec un million d'euros dans une valise !» Plan sur le regard dépité de Guéant : «Un million d'euros... c'est impossible, Rose-Marie ne me le pardonnerait jamais !» Nouveau plan : les yeux de Guéant se remplissent de larmes, nous sommes en 2007, Rose-Marie vient de mourir. Peu à peu, le regard de Guéant devient extatique, des billets de 500 euros remplacent ses larmes, il appelle son secrétaire : «Maurice, amenez-moi les 10 000 euros destinés aux frais d'enquête. – Mais monsieur... qu'aurait dit madame ? – Mêlez-vous de ce qui vous regarde, je veux profiter, m'éclater, voyager en Falcon, prendre des douches de champagne ! – Bien, monsieur le secrétaire général...» Succession très rapide de plans sur les yeux de Guéant, il semble sous coke comme Al Pacino dans *Scarface*. Les sommes d'argent en liquide sont de plus en plus grosses, son secrétaire est totalement dépassé. « 500 000 euros en cash en provenance de Malaisie, si vous les virez sur votre compte ça va se voir, vous êtes fichu ! – Je m'en branle, Momo, j'ai trop attendu, je veux profiter. J'emmène trois putes russes niquer tout le week-end chez Kadhafi, on décolle dans une heure de Villacoublay ! » Retour au présent. La garde à vue touche à sa fin. Les policiers plaisantent tout en raccompagnant Guéant à sa voiture. S'il a besoin de quoi que ce soit, un renseignement sur l'évolution de l'enquête, qu'il n'hésite pas, il fait comme Hortefeux, il appelle...

4 JANVIER 2014

Dieudonné la honteuse !

Tout se perd ! Le bon vieux facho d'antan, le fasciste à l'ancienne, droit dans ses bottes, qui édite des musiques nazies et déclare que «les chambres à gaz sont un détail de l'histoire», se fait rare. Des types comme Jean-Marie Le Pen, xénophobes, antisémites et fiers de l'être appartiennent désormais au passé.

Aujourd'hui, la nouvelle génération est timorée. À l'image de Marine, la fifille de Jean-Marie qui d'un côté part valser en Autriche aux bras de néonazis et de l'autre veut attaquer tous ceux qui qualifieront son parti d'extrême droite. Un pas en avant, deux pas en arrière. Mais le pire de tous, la honteuse toute catégorie, c'est, à n'en pas douter, Dieudonné. Comment Jean-Marie a-t-il pu tolérer qu'une telle lopette lui demande d'être le parrain de sa fille ? Un type même pas capable d'assumer un salut nazi inversé et qui tente de nous faire croire qu'il s'agit d'un geste antisystème, d'un simple bras d'honneur. Ah la chiffe molle, la mauviette ! On dirait le docteur Folamour, transfuge nostalgique du régime nazi, retenant désespérément son bras quand celui-ci exécute malgré lui le salut hitlérien.

Dieudonné n'assume pas. Vingt ans qu'il tente de faire passer son antisémitisme pour de l'humour. Fils d'une mère bretonne et d'un père camerounais, Dieudonné aurait rêvé naître en 1940 dans la France du maréchal Pétain, une époque où l'on pouvait faire de belles quenelles, bien droites, pointées vers le ciel, sans aucune restriction. Comble de malchance, le jeune M'bala rencontre la gloire en 1990 sur la scène d'un café-théâtre en duo avec un certain monsieur Semoun... Élie Semoun ! Imaginez sa détresse, quand dans le sketch *Cohen et Bokassa*, Bokassa dit à Cohen : «En 1945, les boches, ils auraient pu finir le boulot», la salle entière se gondole, tout le monde pense que Dieudonné fait du second degré alors que lui sait qu'il est au premier. Pendant sept ans, Dieudonné va tenir le coup en escroquant son camarade de jeu. Connaître le succès avec un juif est déjà douloureux, mais le payer à sa juste valeur serait terrible. Une fois séparé d'Élie, Dieudonné se perd durant quelques années : une période noire durant laquelle il milite à gauche, soutient le DAL et ira même jusqu'à combattre le FN qu'il considère «comme un cancer». Au plus mal, il chante en duo avec Gad Elmaleh... nouveau succès ! En 2003, l'humoriste se ressaisit et revient à ses premières amours, l'antisémitisme : «Le racisme a été inventé par Abraham... les juifs sont une secte, une escroquerie... des négriers reconvertis dans la banque... maintenant il suffit de relever la manche pour montrer son numéro et avoir le droit à la reconnaissance...» Spectacles du même acabit se succèdent. Si cette période riche est boudée par le monde du spectacle, dirigé comme chacun sait par de «dangereux sionistes», les tribunaux, eux, consacrent enfin le travail de l'artiste : onze condamnations à ce jour pour diffamation et injures.

Dieudonné n'est pas épanoui pour autant. Celui dont les amis s'appellent Ahmadinejad et Bachar al-Assad, et qui se rêve en dictateur antisioniste, doit sans cesse composer, atténuer ses propos car, à son grand désarroi, la France est une démocratie avec des lois, des règles. La quenelle qu'il voulait tantôt «glisser dans le fion du sionisme» n'est plus qu'«un simple bras d'honneur, un geste antisystème». Pas folle la guêpe, tel un épicier de quartier spécialisé dans les produits antisémites, Dieudonné tient absolument à préserver son business («bissness», comme l'écrit sa nouvelle compagne analphabète). Son petit commerce est rentable : 1,8 million d'euros en 2013. Tee-shirt, mug, poster siglé d'une quenelle, tout est bon. Le révolutionnaire antisystème s'est même déplacé à l'INPI pour déposer sa marque afin que son ami Alain Soral ne puisse pas l'utiliser pour commercialiser son beaujolais. Chaplin aurait adoré pasticher ses deux chiffonniers haineux et grippe-sous, ces deux dames pipi antisémites bunkérisées à la Main d'or. Toute la limite de Dieudonné est là... amateur de longue quenelle, mais désespérément petit bras. Au lieu de prendre le maquis, de s'assumer, de partir faire sa révolution contre le juif dans des pays où il pourrait sans restriction déverser sa bile, il reste dans son théâtre à compter sa billetterie, déposer ses marques et faire rire deux cents écervelés incultes qui pensent pour la plupart que le mot «antisioniste» est une marque d'insecticide. Tout faire pour maquiller son antisémitisme forcené. Il faut voir Dieudonné le soir, impasse de la Main-d'Or (entouré de trois gardes du corps grotesques, style commerciaux chez Al-Qaeda), baisser la grille de son commerce. On pense à Anelka qui craignant une longue suspension a, lui, baissé son short. Quand il s'agit de préserver leurs intérêts, la quenelle de ces messieurs se transforme vite en vermicelle.

Corbeil-Essonnes Gangster

Ce n'est peut-être pas très moral, mais personnellement je me réjouis que le Sénat ait refusé de lever l'immunité parlementaire de Serge Dassault. J'adore ce mec ! Son côté vieillard respectable, propriétaire du *Figaro* trempant depuis des années dans des affaires louches... c'est tout ce que j'aime ! Attention, je comprends les réactions outragées des douze sénateurs qui voulaient lever son immunité. Certains parlent de véritable scandale : tous les corps judiciaires avaient donné leur feu vert, l'avionneur est mouillé jusqu'à l'os (corruption, achat d'électeurs), il a même reconnu certains faits... mais bon, Serge Dassault étant sénateur lui-même, il faut se mettre à la place de ses copains du Luxembourg.

Ils se connaissent depuis des années, déjeunent régulièrement ensemble, partent chasser à Chambord, ça crée des liens ! En plus, c'est encore la période des fêtes, une caisse de Cheval-Blanc à l'un, de Haut-Brion à l'autre... c'est quoi quelques caisses de vin pour quelqu'un qui a déjà reconnu avoir versé plusieurs millions d'euros à des intermédiaires ?

Franchement, ça m'aurait ennuyé que le vieux Dassault aille en prison et que la saga s'arrête. Et puis, je l'avoue, c'est comme dans la série *Les Sopranos* ou le film *Le Parrain*, j'ai toujours été du côté des voyous. Cette histoire est tellement palpitante, on a envie qu'il y ait une suite. Pour un scénariste, c'est une mine, tous les ingrédients pour exploser le box-office ! Pour commencer, c'est un parti pris hyper intéressant d'avoir fait un vrai *loser* du personnage central, Serge Dassault.

Son père, Marcel, était un type extraordinaire, ayant bâti un empire, créé des avions mythiques : le Mystère, le Mirage. Et lui, c'est juste « un fils de », comme disait Beaumarchais (clin d'œil au *Figaro*) : « Vous vous êtes contenté de naître et rien de plus. » Son seul fait d'armes, c'est le lancement du Rafale : aucune vente à l'étranger depuis sa création. Il rate tout : en 2004, il achète le Football Club de Nantes en D1, trois ans plus tard, il le revend en D2.

Son père crée *Jours de France,* il accepte de le reprendre ! N'importe qui aurait refusé : *Jours de France,* c'est le journal que tu parviens à peine à feuilleter chez le dentiste quand tu vas te faire dévitaliser une dent. Même si tu le tiens à l'envers, c'est pas grave. Dassault junior foire tout ce qu'il touche. Même en politique, c'est un désastre : battu en 1977, 1978 et 1981. Alors, pour gagner des élections, il va sortir son chéquier, l'argent de papa. Entre-temps, il a hérité : 69ᵉ homme le plus riche du monde ! À ce moment-là, l'histoire dérape, devient folle, un vrai thriller. Pour acheter les votes de l'électorat populaire, celui qu'on surnomme désormais «Don Dassault» s'acoquine avec des voyous. Difficile d'arriver dans la cité des Tarterêts en imper Burberry avec *Jours de France* sous le bras... Même si l'on dit qu'on va chez le dentiste, ça ne passe pas !

Pour pénétrer les quartiers difficiles, Dassault junior choisit comme attachés de presse un ancien braqueur et Younès Bounouara à qui il donne 2 millions d'euros. Problème, au lieu de redistribuer l'oseille pour acheter des votes et rétribuer ses intermédiaires, Younès garde la thune pour sa pomme. Dès lors, tout part en sucette. Ceux qui n'ont pas eu d'argent font chanter l'avionneur. C'est le cas de monsieur Hou, un boxeur de 32 ans qui, après avoir juré de tout balancer à la presse, se fait tirer dessus par Younès.

Don Dassault, qui cinq jours auparavant avait évoqué «le problème Hou» au siège de sa société, éclate de rire en apprenant la nouvelle. Convoqué dans le cadre d'une enquête pour tentative d'assassinat, il s'explique : «J'ai ri, c'est comme cela... mais à l'heure d'aujourd'hui, il ne nous fait plus chier.» Dispersé, façon puzzle aurait-il pu ajouter, c'est du Audiard, on est dans *Les Tontons flingueurs!*

De plus, notre héros possède un fort potentiel comique. N'ayant pas inventé le fil à couper le beurre, il se fait régulièrement piéger par la presse à travers des entretiens en caméra cachée où il admet arroser tout le monde. Ses avocats ont ensuite le plus grand mal à justifier ses propos.

Comme dans les meilleures sitcoms humoristiques, Don Dassault multiplie les bons mots : après avoir offert un camion à l'un de ses intermédiaires, une pizzeria à un autre et 2 millions d'euros à un troisième, il affirme au *Journal du dimanche* « qu'il n'a pas le billet facile » (rires du public). Toujours au même *JDD*, il déclare : « L'erreur que j'ai faite, c'est de penser que certains voyous peuvent changer si on s'occupe d'eux. » (Re-rires du public.) Admettez que tous les ingrédients sont réunis pour faire une super série. Normal que, dans ces conditions, certains sénateurs, friands du genre, n'aient pas souhaité envoyer leur camarade en justice. En revanche, je suis assez d'accord avec le multimilliardaire Maurice Taylor lorsqu'il préconise de la prison ferme pour les salariés séquestreurs de Goodyear. C'est une série que je ne sens pas du tout : triste, sans relief, ça n'intéresse personne. Ces histoires de pneus, ça gonfle tout le monde. Et puis, soit dit entre nous, il faut quand même qu'il y ait un minimum de justice !

Mafia et politique,
une longue histoire d'amour...

Mon beau-fils, Al Capone et Hortefeux

Jusqu'à présent, je n'en avais jamais parlé à personne... Il y a quelques mois, en allant dans la chambre de mon beau-fils Léopold, 11 ans tout juste, je suis tombé sur une carte de l'UMP, une imitation parfaite, coloriée au feutre rouge et bleu avec l'arbre blanc au centre. Sinon le reste était normal : sa collection d'armes, divers accessoires, une paire de bas piquée à sa mère et une mallette secrète renfermant le butin de ses derniers larcins, billets de Monopoly, jetons de poker, mini-lingots d'or en chocolat, souvenir d'un spectacle que j'avais donné à Lausanne.

Seule incongruité au milieu de ce bric-à-brac mafieux, la carte de l'UMP sur laquelle Léopold avait collé sa photo. En observant soigneusement ce cliché, on percevait tout de suite son statut de chef de bande, idole de sa classe, organisateur du plus grand trafic de vignettes Panini des Hauts-de-Seine de ces dix dernières années ! Celles représentant les joueurs du PSG (les plus précieuses) s'échangent sous le manteau, après s'être cogné l'épaule pour se dire bonjour. Oui, dans cette partie du 9-2, zone de non-droit, s'étalant entre Sèvres et Ville-d'Avray, à moins d'être un «bolosse», on ne se serre pas la main pour se saluer.

Bien sûr, la découverte de cette carte nous avait intrigués, sa mère et moi. Elle ne collait pas avec l'univers de Léopold, passionné depuis son plus jeune âge par le rap américain et les films sur la mafia. Un garçon extrêmement éveillé, curieux de tout, qui, à 11 ans, a déjà lu *L'Instinct de mort* de Jacques Mesrine et *Les Égouts du Paradis* d'Albert Spaggiari. Lorsque Frédéric Lefebvre avait voulu détecter les comportements dangereux dès la maternelle, Muriel et moi nous nous étions naturellement inquiétés : «Si jamais ils remontent au CP, ils vont gauler Léo!»

Pourquoi une carte de l'UMP chez un être fasciné par l'univers de la pègre? Quelque chose nous échappait. En même temps, les enfants précoces présentent parfois une véritable originalité. Je me souviens qu'à l'âge de 5 ans, lorsque des passants, attendris par son air de gavroche, lui demandaient gentiment : «Comment tu t'appelles, mon p'tit bonhomme?» Léopold leur répondait crânement : «Je m'appelle Nicolas Sarkozy.»

Ainsi nous étions intrigués, mais pas inquiets. Et puis ce week-end, tout s'est brusquement accéléré. Alerté par la musique qui résonnait dans la chambre de Léopold – le *lipdub* des jeunes UMP *Tous ceux qui veulent changer le monde!* au lieu des 2Pac ou Eminem habituels –, je suis monté le voir pour discuter.

Là, à travers le chambranle de sa porte, punaisée entre les affiches de ses idoles absolues (Al Capone et Bonnie and Clyde...), j'aperçois une photo de Brice Hortefeux et de Jean-François Copé. Livide, je redescends immédiatement prévenir sa mère : « Ton fils accroche des photos de dirigeants UMP dans sa chambre !

– Il te cherche, mon amour, il te provoque ! Il a vu tes spectacles, tes attaques sur la droite et il prend le contre-pied, c'est une crise d'adolescence classique.

– Une crise d'ado à 11 ans ?

– Il est en avance sur tout.

– Et s'il se pogne sur une affiche de Nadine Morano, je laisse faire aussi, c'est normal ?

– Écoute, parle-lui, expliquez-vous, ça va s'arranger. »

Lorsque j'arrive dans sa chambre, Léo se trémousse en scandant : « Benjamin Lancar, t'es tout, sauf un bâtard ! » L'heure est grave, je dois sauver mon beau-fils !

« Coupe-moi cette musique de merde et ferme ce *Figaro*. Où l'as-tu trouvé ? Je veux le nom du copain qui t'a fourgué ce journal. Je dois prévenir ses parents ! Je ne te reconnais pas, qu'est-ce qui t'arrive, toi qui, l'année dernière encore, récitais des répliques entières du *Prophète* ou de *Scarface* ?

– Stéphane, je n'ai pas changé, j'adore toujours les gangsters, regarde cette photo, la classe internationale ! »

Sur le mur de Léopold, je reconnais la photo aperçue cette semaine dans la presse : Copé barbotant dans la piscine de Ziad Takieddine au cap d'Antibes.

« Chouffe la baraque, politique, c'est le rêve. T'expliques à tout le monde ce qu'ils doivent faire, tu dis que tu veux rétablir la morale à l'école et vas-y, t'embrouilles ! Tu passes tes vacances chez un marchand d'armes, tout gratos ! Copé, il se fait inviter partout, en Angleterre, en Italie, au Liban, lui et sa famille, Takieddine, le cheum, il raque, payez avec des mallettes ! – Mais enfin, Léopold, tu ne peux pas prendre exemple sur ces gens-là !

– C'est de la balle l'UMP, ils croquent tous : Chirac, Sarkozy, Copé. Et quand t'es trop vieux, tu dis que tu as l'Alzheimer, tu ne peux plus être jugé. L'Alzheimer, c'est l'arme secrète ! »

« Moi, président... »

Moi aussi, depuis quelques jours, je me sens délaissé, blessé, trahi. En mai 2012, à l'instar de 51,64 % des Français, j'ai cru en cet « homme normal ». Je me suis laissé séduire, charmer, convaincre par ses dires... je l'avais dans la peau ! C'est vrai qu'à mon âge, j'aurais dû me méfier. En politique, je n'en étais pas à ma première désillusion, j'avais essuyé bien des déceptions. Mais c'est difficile aussi de faire son deuil, d'accepter de ne plus aimer, de ne plus s'engager, de voter blanc. Alors fatalement, vendredi 10 janvier, quand on m'a montré les photos publiées dans *Closer*, je n'y ai pas cru, je me suis dit : « C'est un montage. Cet homme grotesque, déguisé en Dark Vador, à califourchon sur un scooter qui vient sauter en catimini une actrice... Ça ne peut pas être notre président, le chef de la cinquième puissance mondiale ! » On n'imagine pas Angela Merkel dans la même situation, en couguar casquée, faisant des galipettes à deux cents mètres du Bundestag avec un acteur « discret ». Les premières heures fatalement, j'étais dans le déni, je refusais l'évidence : «C'est impossible, examinez bien les photos, s'il est petit, mal fichu, les cheveux teints, la bite à la main... c'est peut-être Berlusconi!» Après, vous savez ce que c'est, on a tous été trompés, une fois le déni passé, on finit par ouvrir les yeux et accepter la terrible réalité : «C'est bien son casque, ses chaussures, son garde du corps et puis ce gros paquet de viennoiseries pour récupérer après ses assauts nocturnes... c'est lui tout craché!».

S'ensuit alors une longue période de deuil où l'on ressasse les promesses de l'être aimé, ses engagements, ses multiples serments : «Moi président, je ferai en sorte que mon comportement soit à chaque instant exemplaire.» On se souvient de cette époque bénie où pour emporter notre cœur, il fustigeait le narcissisme de son concurrent direct : «Ce président m'as-tu-vu qui nous installe tous en voyeur de sa vie privée.»

Alors, qu'il soit infidèle, c'est sa vie privée, mais qu'on soit obligés d'assister aux portes qui claquent parce qu'il n'a pas eu «pour principe de traiter les affaires privées en privé», merde!

Dès lors, les images du passé se teintent d'une couleur étrange, les phrases prononcées, les déclarations résonnent différemment. Chaque souvenir est entaché du soupçon. Lorsqu'il jurait que «sa priorité, c'était la France, que pour cette raison, il refusait de partir en vacances, de trop s'éloigner»! De s'éloigner de la rue du Cirque, oui!

Lorsqu'il affirmait «qu'il n'aimait pas le fort de Brégançon, qu'il s'y ennuyait», tu parles! Faire le mur d'un piton rocheux de trente-cinq mètres d'altitude en scooter, ça devient compliqué. On se remémore toutes ces soirées, ces nuits entières où, dans la tourmente de la crise, le président veillait à l'Élysée courbé sur ses dossiers... il ne fallait surtout pas le déranger : «La détresse des ouvriers de Goodyear le bouleverse trop, impossible de dormir. François ne prendra qu'un sandwich, il souhaite être seul, concentré.» Pouvait-on imaginer qu'une heure plus tard, il serait dans sa garçonnière et qu'à défaut de pneu, il jouerait du piston.

Comme dans tout chagrin d'amour, la colère resurgit par intermittence plus sourde : comment continuer à croire en un homme devenu la risée du monde entier, un Kennedy de supérette moqué autant pour son amateurisme que pour son absence totale d'élégance. «La Nabilla de la Ve République», titre le quotidien suisse *Le Temps*. La communauté européenne est perplexe : s'il gère les opérations en République centrafricaine comme il trompe sa compagne, ça va être un désastre !

Dès lors, comment ne pas pouffer quand il nous parle de «transparence, d'honnêteté, de droiture?» Tout s'éclaire, comme dans un puzzle où l'on vient ajouter la dernière pièce. C'est la prison du soupçon. Cahuzac, par exemple :

«Jérôme, les yeux dans les yeux, dis-moi si tu possèdes un compte en Suisse?

– Mais bien sûr, François, chez UBS à Genève. En revanche, moi, je n'ai jamais bougé une oreille...

– Comment ça?

– Je ne me déguise pas tous les soirs en coursier pour rendre visite à une actrice.

– Tu restes au gouvernement, Jérôme, je tiens à toi !
– Merci, François.»

Le compromis désastreux dans l'affaire Leonarda : «Valérie veut qu'on l'accueille, mais Julie me conseille d'être ferme... Euh ! je suis embêté... euh ! je vais l'accueillir, mais sans ses parents...»

In fine, que penser d'un homme qui a fait de la morale son cheval de bataille, mais laisse nommer sa maîtresse membre du jury de la villa Médicis ?

Il semble, néanmoins, que cette histoire lui ait servi de leçon puisque lors de sa conférence de presse de mardi, il a assumé publiquement être un social-démocrate. Une rumeur qui bruissait dans tout Paris depuis des semaines... là, ce n'est pas *Closer* qui nous l'apprend, c'est lui. Il était temps. On imagine la une désastreuse du magazine people : «L'amour secret du président pour les riches.»

25 JANVIER 2014

Le président n'est pas venu...

Faut que je me méfie ! Il suffit que je plaisante sur une rumeur pour qu'elle se réalise. La première fois, c'était sur France Inter, en février 2009. J'avais écrit une chronique dépeignant DSK en prédateur sexuel, «la braguette la plus rapide du PS». À l'époque, ce n'était qu'une rumeur, personne n'en parlait dans les médias et évidemment, je m'étais pris une volée de critiques ! J'ai dû attendre le 15 mai 2011 et l'arrestation du directeur du FMI à New York pour connaître une réhabilitation nationale.

Suite à cette affaire, quelques proches s'étaient mis à me charrier sur mes pouvoirs de divination : «Vas-y, file-moi les numéros du Loto, le temps à Carantec demain, le gagnant de la *Nouvelle Star* !» Pourtant, depuis, mes facultés extralucides ne s'étaient plus trop manifestées. Je sortais de nouveau sans parapluie quand il allait pleuvoir.

Et puis, le 28 mars, suite à une plainte déposée par mademoiselle Gayet à propos de rumeurs lui prêtant une liaison avec François Hollande, je m'amuse à envoyer un tweet aussi énorme que la rumeur : «Je viens de tourner avec Julie Gayet et je peux vous assurer que François Hollande a toujours été discret et très gentil avec l'équipe...» Inutile de préciser que, pourtant présent du matin au soir, je n'avais jamais vu François Hollande sur le tournage. Mais le 10 janvier 2014, patatras... je découvre que je n'ai rien perdu de mes soi-disant pouvoirs extralucides, j'avais vu juste ! Le magazine *Closer* sort l'affaire : l'actrice est bel et bien la maîtresse du président et « genre » c'est moi qui leur aurais mis la puce à l'oreille.

La machine est en route. Des journalistes politiques aussi chevronnés que Catherine Nay reprennent l'info, la crédibilisant définitivement : «Quand on est président de la République et qu'on ne veut pas que les choses se sachent, on ne se rend pas sur un tournage !» Les bras m'en tombent, c'est la deuxième fois que, plaisantant sur une rumeur, je la vois devenir affaire d'État. Face à l'aplomb de certains commentateurs politiques («On ne met pas les pieds sur un tournage !»), je finis moi-même par douter. Le président est-il venu sans que je m'en aperçoive ? Pendant une plage de repos ? S'est-il déguisé ? Lors des séquences tournées à Bruxelles, il y avait un type qui gardait son casque pour nous livrer des sandwichs... mais il était roux, un grand gaillard de 1,98 m, ça ne peut pas être lui ! Le président a-t-il tourné dans le film à notre insu, un passage subliminal à la Alfred Hitchcock ? Non, au risque de faire de la peine à madame Nay, le président n'est pas venu. Le film étant une histoire de fantômes, le seul «François» président qui aurait pu être aperçu sur le tournage, c'est Mitterrand. Une possibilité qui aurait réveillé, chez Catherine Nay, des souvenirs voluptueux.

Là, je peux plaisanter sans risque sur cette rumeur. Il y a en effet peu de chance que François Mitterrand revienne de l'au-delà pour se taper Catherine. Dommage, on pourrait imaginer le dialogue : «Mais tu n'es pas contente de me voir, ma chérie ? – Si, mais je n'arrive plus à sourire...»

Avoir des pouvoirs extralucides, c'est super flippant. J'espère, en tout cas, ne pas influer sur le cours des événements. Imaginez que Gayet et Hollande se soient mis ensemble juste après mon tweet, que ce soit moi qui leur ai donné l'idée !

En tout cas, depuis dix jours, je suis dans mes petits souliers, je relis fébrilement tous mes papiers. Je me souviens d'un en particulier, écrit après la mort du président polonais Lech Kaczynski dans un accident d'avion. J'avais imaginé un crash similaire dont Nicolas Sarkozy aurait été victime, son rapatriement à Villacoublay, la cérémonie retransmise sur LCI et Nadine Morano en larmes. Pas du meilleur goût, j'en conviens. Seulement maintenant j'ai peur que s'il arrive quoi que ce soit à Sarkozy, on aille dire que c'est de ma faute. Bon, grâce à Dieu, il pète le feu. Il a fait jurer à Bernadette de ne pas répéter qu'il était candidat en 2017, il se produit à guichets fermés lors des concerts de sa femme (qui devrait ne plus y aller d'ailleurs : quand elle chante, les gens profitent moins de lui). Bref, tout va bien !

D'un autre côté, si à chaque fois que je plaisante sur une rumeur elle se réalise, ça vaut peut-être le coup d'en lancer : Édouard Balladur allégera sa conscience avant de mourir, il va se mettre à table et tout balancer. Idem pour les Balkany qui traversent une crise mystique et ne supportent plus leur image. Un remède très efficace contre la maladie d'Alzheimer va permettre à Liliane Bettencourt de lister très précisément les destinataires des valises. Bachar al-Assad souffre d'une maladie incurable. Poutine couche avec Medvedev, les photos vont sortir le jour de l'inauguration des jeux de Sotchi. Dieudonné a du sang juif, il vient de s'en apercevoir, il renonce à toute sa haine et prépare sa Bar Mitzva. Valérie Trierweiler sort en secret avec l'acteur Gilles Lellouche, elle le rejoint deux fois par semaine à son domicile, déguisée en contractuelle. Une météorite va s'écraser sur la maison des Le Pen à Montretout lors d'une réunion de famille. Madame Zemmour qui ne supporte plus la misogynie de son mari, va le quitter pour Olivier Besancenot...

La liberté...
L'hypocrisie de la presse.

22 NOVEMBRE 2011

Comique de fosse d'aisances

Je ne comprends pas. Il me semble qu'en février 2009, tout le monde connaissait les mœurs de DSK, tout Paris savait que le directeur du FMI était un dragueur compulsif. Dans les rédactions, les couloirs de l'Assemblée, les dîners en ville, les exploits sexuels de «la braguette la plus rapide du PS» pimentaient les conversations. Chacun avait sa petite anecdote à raconter. Alors, bêtement, ingénument... lorsqu'en février 2009, le rédacteur en chef de France Inter m'avait dit : «Stéphane, notre invité de demain c'est DSK», je m'étais cru autorisé à plaisanter sur le sujet. Une idée toute simple, une blague de potache sur le thème : DSK arrive, les filles toutes aux abris, avec un bruit de sirène en fond sonore. Que pouvais-je attendre d'autre que des rires complices? Stupéfaction, dès le lendemain, je pus constater à quel point je m'étais fourvoyé, un véritable déchaînement : «Comique de fosse d'aisances», titra Claude Imbert dans *Le Point*, «Clown censeur, Kenneth Starr à la française», renchérit

Raphaël Enthoven dans *L'Express*, Ivan Levaï promit même, lors de sa revue de presse matutinale, « d'aller pisser ou chier sur ma tombe ». J'étais mortifié, quelle erreur de jugement, j'avais dépassé les limites ! Dès lors, depuis cette date fatidique du 17 février 2009, j'ai retenu la leçon : respect de la vie privée, pas d'attaque *ad hominem*, on ne touche pas à DSK (à moins d'être russe et de faire un 85C). Je me suis tu, plus un mot, vingt-sept mois d'abstinence. Même le jour de l'arrestation de DSK à New York, alors que plusieurs médias voulaient recueillir les impressions de « l'ancienne mouche du coche de France Inter » (j'aime bien citer *Télérama*). Rien, silence radio.

Et puis cette semaine, en allant acheter la presse, qu'est-ce que je vois ? Qu'est-ce que j'apprends ? Ça y est ! On peut tout dire sur Dominique, tout balancer ! Fouiller son portable, exhumer ses SMS, les détails les plus crus, les secrets les plus intimes : Dom préférait la sodomie, se doucher avant une levrette ou manger une glace à la mangue après un cunnilingus. Devoir d'information, se défend Laurent Joffrin, qui a révélé les faits les plus croustillants dans les pages du *Nouvel Observateur*. La semaine prochaine, le *Nouveau Voyeur* publiera les analyses du pressing de la place des Vosges où Dominique apportait ses costumes souillés. On attend aussi le CD, enregistré à l'hôtel Murano, avec les échanges de DSK et de trois prostituées belges, offert avec le prochain numéro de *L'Express* dirigé par l'irréprochable Christophe Barbier. Si, en quelques jours, notre presse hexagonale s'est totalement déniaisée, décoincée, si nous sommes enfin prêts à égaler les pires tabloïds anglais, pourquoi ne pas continuer sur ce bel élan et révéler la sexualité intime de tous nos élus ? Qui baise avec qui, comment ? D'ailleurs, à quelques mois d'une élection majeure, est-il raisonnable de faire l'impasse sur une telle enquête ? Pouvons-nous prendre le risque d'un nouveau 15 mai 2011 ?

Savez-vous, par exemple, que Claude Guéant se caresse en écoutant ses collègues ? Une déviance assez rare. François Mitterrand fondait sur la voix de Carole Bouquet, Guéant s'abandonne sur des voix plus mûres : Boutin, MAM ou Bernadette Chirac. Seul, dans son bureau de la place Beauvau, il se dénude et actionne son magnéto. Eva Joly ne couche qu'avec des opticiens, pour une paire de lunettes, même supermoche, rouge, en plastoc, elle est capable de tout. C'est à 18 ans qu'elle découvre cette perversion avec un opticien d'Oslo. Comblée, Eva repart avec une grosse paire en écaille qui la fait ressembler à Nana Mouskouri. Hortefeux, son univers, c'est le cuir, les impers, les bergers allemands et la musique de Wagner. Xavier Bertrand, lui, préfère être dominé, se déguiser en Bisounours et se faire fouetter en criant : « Je t'aime, Nicolas ! » Mélenchon adore la bourgeoise, ça l'excite. Une ouvrière ou une chômeuse et il débande tout de suite : l'impression d'être au boulot. Ségolène veut qu'on l'appelle « Madame la présidente », ça la fait jouir immédiatement. MAM s'envoie en l'air uniquement avec des dictateurs et toujours dans leur avion... Tron ne prend son pied qu'avec celui des autres. Besancenot, son trip, c'est de distribuer le courrier dans le Marais, alors que ce n'est pas son secteur. Le rituel est toujours le même : « Qu'est-ce qu'elle veut la grande ? Me montrer un calendrier avec des pompiers ? »

Morano est la couguar la plus célèbre du gouvernement. Chaque année, sur le *dance floor* du campus des jeunes de l'UMP, des Pop' boutonneux passent à la casserole. Ils n'ont pas le choix. C'est Nadine qui a dépucelé Benjamin Lancar. François Hollande, lui, adore faire le bébé, se faire langer. Après un meeting important, une forte période de stress... une couche, du talc, une histoire de « Martine » et François s'endort comme un nouveau-né. Bayrou n'est bien qu'avec ses chevaux. À 17 ans, son bégaiement s'est arrêté net suite à une rencontre avec un poney Shetland de toute beauté. Dès que l'animal apercevait les grandes oreilles du petit François, il hennissait de plaisir.

Voilà des extraits de ce que la presse pourrait raconter, dès demain, sur la sexualité de nos élus... Le problème c'est qu'ils sont toujours en poste, puissants... Mauvaise idée ! Attendons plutôt qu'ils trébuchent, qu'ils soient à terre (« quand je serai KO », comme disait Souchon), qu'ils ne soient plus rien, inoffensifs, pour faire le travail. « Nous avons un devoir d'information. »

« Avec Poutine, on est devenus copains »

Incroyable qu'on puisse s'étonner des scandales qui entourent l'organisation des Jeux de Sotchi : « Corruption, désastre écologique, esclavagisme... » Les ONG ont l'air de tomber des nues. Comme si le Comité olympique (CIO) était le monde des *Candy Crush*! Depuis sa création, il n'a cessé de tremper dans des histoires de corruption. C'est presque une marque de fabrique. S'étonne-t-on qu'Al Capone ait fait fortune dans le trafic d'alcool durant la prohibition ? Non!

On dénonce une loi anti-gay, des ouvriers étrangers exploités, non payés, expulsés. C'est quoi cet angélisme! Le CIO s'est toujours arrangé avec les droits de l'homme : collaboration avec le régime nazi ou franquiste, connivence avec l'apartheid... C'est une longue tradition : «L'important c'est de participer». En 1936, Pierre de Coubertin remerciait Hitler pour la bonne organisation des Jeux de Berlin. Le même Coubertin écrivait : «Les races sont de valeurs différentes, et à la race blanche, d'essence supérieure, les autres doivent faire allégeance.» L'important, c'est de participer, mais pas au même niveau ! Soixante-dix-huit ans plus tard, Vladimir Poutine, lui, choisit de persécuter les homos. Et une fois de plus, le CIO ferme les yeux. Ne bousculons pas trop les vieux membres du comité. Élus à vie, enfermés à Lausanne, ils s'ouvrent doucement aux idées nouvelles. On progresse. Coubertin n'aimait pas les femmes : «Les olympiades femelles sont inintéressantes, inesthétiques et incorrectes.» Mais aujourd'hui, heureusement, on peut les admirer comme dans les compétitions de bobsleigh. On ne fait plus de différence, on ne peut plus la faire : baraquées, casquées et en combinaison, je défie quiconque de donner le sexe du compétiteur.

Non, vraiment, étonnant de s'étonner ! Pour construire un chantier aussi pharaonique que Sotchi, en si peu de temps, dans une zone hyper protégée, il fallait quelqu'un qui n'ait ni morale, ni éthique, ni scrupule... un bulldozer sans foi ni loi. «On n'est pas des pédés !» Et, dans ces conditions, Poutine était le candidat idéal. Le CIO a eu le nez creux.

Maintenant, on pinaille, on se bouche le nez, on reproche même à Jean-Claude Killy d'avoir déclaré dans une interview au *Monde* : «Avec Poutine, on est devenu copains» ! Le CIO et Poutine c'est une association de malfaiteurs classique, au même titre que Jacques Mesrine et François Besse. On met en commun ses compétences pour mieux travailler. Quand, en 1998, plusieurs membres du CIO reçoivent des pots-de-vin pour attribuer les JO à Salt Lake City, Poutine, qui s'apprête à devenir président, est admiratif ! Ensuite, l'élève dépasse le maître, quand Poutine commandite le meurtre de la journaliste Anna Politkovskaïa, c'est au tour du CIO d'être scotché : « Putain, ce gars, il ne se fait pas emmerder, il en a dans la culotte, c'est lui qu'il nous faut pour les Jeux de 2014 ! » De là, naîtra un respect mutuel et une réelle camaraderie entre Poutine et Killy. Notre triple médaillé le dit d'ailleurs très bien : « Sa réputation internationale ne reflète pas ce que je vis quand je travaille avec lui. » Certainement ! Gageons que, dans le privé, Vladi est quelqu'un de charmant. Et, s'il n'est pas d'accord avec Killy sur l'emplacement de la patinoire, il ne l'enverra pas dix ans dans un goulag en Sibérie comme il l'a fait avec l'oligarque Mikhaïl Khodorkovski. D'ailleurs, pour ce dernier, Vladi s'est adouci : Khodorkovski vient tout juste d'être libéré. Il pourra regarder les compétitions de bobsleigh peinard à la télé... en Allemagne, pays où on l'a extradé de force. Une libération qualifiée par Killy de « gage de bonne volonté ». Mais ça, je peux comprendre... je peux comprendre que quand on a un vrai copain, quoi qu'il fasse, on ait envie de le défendre, c'est tout à l'honneur de Killy.

Attention, Vladimir ne va pas se bonifier d'un coup. Le président russe est parfois victime de son tempérament, il fait des rechutes. Le Vert Evgueni Vitichko, qui s'apprêtait à publier un rapport accablant sur l'aspect écologique des Jeux (forêts entières saccagées, rivières empoisonnées, faune anéantie), vient d'être condamné à trois ans de travaux forcés ! Là aussi, « Hello Killy » temporise : « Tout n'a pas été parfait, loin s'en faut, mais nous avons eu des échanges avec Greenpeace for Russia qui gère la réintégration du léopard des neiges. » Que Vitichko prenne son mal en patience et n'en veuille pas au « salopard des neiges » qui l'a envoyé au goulag.

Dans la blancheur de Sotchi, ne voyons pas tout en noir. Killy-Poutine, c'est une belle histoire d'amitié qui ne peut que durer. Nos deux compères sont riches à millions. La luxueuse station de ski de Sotchi dispose de 10 000 lits. Pourquoi ne pas imaginer la création de boutiques de sport garnies de vêtements « Killy séduction » ou de parfums ? Killy a lancé « Eau de Jean-Claude », pourquoi pas une « Eau de Poutine ». Un parfum fort, musqué, assez puissant pour masquer l'odeur du soufre... celle du polonium 210 qui, un beau matin d'hiver, a tué dans d'atroces douleurs le dissident russe Alexandre Litvinenko. Mais ne parlons pas de cela, place au sport, à la beauté des Jeux, aux copains, à la camaraderie... que la fête commence !

8 FÉVRIER 2014

« Balkany », saison 24

Comme adorateur des séries sur la mafia tels *Les Sopranos* ou *Romanzo criminale,* je suis déçu par les dernières saisons des « Balkany ». Les producteurs ont trop tiré sur la corde. Dans les premiers épisodes, il existait une vraie fraîcheur, l'histoire de ces trois jeunes loups de la politique qui décident de se partager les Hauts-de-Seine, département le plus riche de France, c'était truculent. L'angle de départ est très original parce que les héros ne sont pas des mafieux traditionnels, mais des politiciens. Qui plus est, les personnages sont super bien campés : vous avez le parrain, Charles Pasqua, fils de berger corse devenu président du conseil général du 92. Lui, tire les ficelles, dirige tout en sous-main et ne se fait jamais attraper. Charly est toujours accompagné de Didier Schuller, un ancien énarque, une tronche qui dirige le cartel de Clichy, mais aussi du tandem Balkany-Sarkozy, deux immigrés hongrois, plus ou moins autodidactes, qui trustent Levallois et Neuilly. Contrairement à Schuller, Balka et Sarko ont un côté très bling-bling qui donne à la série son aspect comique.

Les premiers épisodes sont emprunts d'une véritable folie. Vu que dans les années 1990, aucune loi n'encadre le financement des partis politiques, Pasqua et sa bande se gavent à tous les étages : un petit côté *Les Ripoux* à mourir de rire. Rien qu'en 1994, l'office HLM des Hauts-de-Seine réalise 4 milliards de francs de travaux, sur lesquels nos compères ponctionnent 5 % pour financer leur formation politique ! Ils ouvrent des comptes en Suisse, planquent tout... il y a tellement d'argent qu'ils n'arrivent plus à tout blanchir... c'est une vraie gabegie !

Je me souviens aussi d'une scène hyper drôle dans laquelle Chirac, un grand mec qui boit de la bière, mange de la tête de veau et tire sur tout ce qui bouge... demande à Balkany de lui trouver 2 millions de francs en liquide pour financer sa campagne ! Ni une ni deux, Balka fait rapatrier la thune de Suisse, la confie à Schuller qui la planque dans deux gros Tupperware puis l'enterre en forêt. Dans la nuit, l'argent est déterré par des sangliers. L'épisode se termine par un plan de Schuller, au petit matin, à quatre pattes, cherchant désespérément l'argent promis à Chichi. Il y avait un véritable souffle, c'était très joyeux.

Le trio Balka, Schuller, Sarko s'entendant comme larrons en foire, ils partent souvent en week-end ensemble, c'est un mélange du *Parrain* et de *Mes meilleurs copains.*

Évidemment, l'euphorie ne dure pas : une remise d'argent tourne au vinaigre et Schuller à qui on décide de faire porter le chapeau doit s'enfuir. Afin de ne pas se mettre à table, on l'envoie aux Bahamas tous frais payés. La bande lui fournit six passeports vierges avec des tampons officiels, il peut passer lui-même les frontières. Pasqua veille au grain. Des vrais voyous, c'est hyper bien fait ! Malheureusement, à partir de ce moment-là, la série devient moins intéressante, plus caricaturale. Lorsque Schuller revient en France, c'est le seul à être condamné à de la prison ferme. Tous les autres s'en sortent indemnes. L'amateur de tête de veau devient président en 1995 et le petit Hongrois hystérique en 2007 avec comme slogan : «La République irréprochable». Là, tu te dis : il y a un vrai problème de scénario, dans la vraie vie, ce ne serait pas possible ! Le comique n'est drôle que s'il repose sur un minimum de crédibilité. Après, quand Balkany bénéficie d'un non-lieu, ça vire carrément au grand-guignol. C'est à partir de là que j'ai commencé à décrocher. Le type, avec un salaire de député-maire de 11 755 euros par mois, parvient à s'offrir un palais à Marrakech, deux résidences de luxe à Saint-Martin et un magnifique moulin à Giverny... et il n'est toujours pas inquiété. Il y a même un épisode dans lequel Schuller, écœuré d'avoir été le seul à payer, apporte au juge des documents officiels prouvant que Balkany a bel et bien blanchi 33 millions de francs pour son propre compte. Là, on pense qu'il est foutu, que dans le prochain épisode, on le retrouve en taule... et bah non, le juge s'en fout ! Le gars réapparaît une semaine plus tard, hilare, cigare aux lèvres, serrant des louches sur les trottoirs de Levallois.

Depuis, l'intrigue a définitivement basculé dans la farce. Balkany est devenu un personnage totalement mégalo qui se vante de s'être tapé Brigitte Bardot, se fait tailler des pipes à l'aide d'un 357 Magnum, invite les chauffeurs de la mairie de Levallois en vacances à Saint-Martin juste pour qu'ils prennent le soleil. Soyons justes, on peut encore voir des épisodes marrants, comme celui de la semaine dernière, quand il confisque la caméra d'un journaliste qui lui pose une question embarrassante. Il l'insulte, veut arracher «la cassette» de l'appareil, on dirait Tommy DeVito dans *Les Affranchis*, le gangster psychopathe qui flingue tout le monde pour un rien, c'est assez réussi. Je pense qu'ils essaient de relancer la série. Balka est de nouveau mis en examen «pour blanchiment de fraude fiscale» et «détournement de fonds publics» mais j'ai un pote qui a vu les prochains épisodes en streaming et il paraît qu'il s'en tire une fois de plus. Le 23 mars 2014, Balkany est réélu à la mairie de Levallois au premier tour. On prend vraiment les téléspectateurs pour des cons!

En politique, la réalité dépasse
tout le temps la fiction.

Les espoirs de la gauche sur la moquette du Sofitel

Décidément, les séries françaises sont pathétiques ! Le dernier épisode de « Sexe à Manhattan » dimanche soir sur TF1 était affligeant. Cinq mois de suspens torride pour finir comme ça ! C'est dommage parce qu'au départ le scénario était génial : un homme politique français, directeur du FMI, est accusé de viol par une femme de chambre à New York, alors qu'il s'apprête à annoncer sa candidature à la présidence de la République. Le type s'appelle Dominique, il est socialiste, ultrafavori dans les sondages, mais priapique au dernier degré, il commet l'irréparable...

Le premier épisode se terminait sur l'homme menotté sortant du commissariat de Harlem. Bon, si on voulait finasser, il y avait peut-être un petit problème de crédibilité dans le scénario : le gars porte tous les espoirs de la gauche, trente ans que son parti n'a pas remporté l'élection présidentielle, tout le monde sait que sa seule faiblesse c'est sa braguette et... ses camarades, ses amis le laissent sans surveillance dans un hôtel. Livré à ses démons. Votre meilleur ami est boulimique et vous l'enfermez une nuit entière dans l'épicerie fine du Bon Marché ! Il est vrai que tous les membres de son parti se détestent. Ils ne peuvent pas se blairer ! Ils préfèrent perdre l'élection, plutôt que l'autre ne la gagne. Quand Dominique se fait arrêter, ils font semblant d'être tristes, mais au fond, on devine qu'ils jubilent. Martine déclare : « Je pense à sa femme, à ses enfants, à ses proches », mais en vérité, c'est le plus beau jour de sa vie, elle va pouvoir être candidate ! Les personnages sont super bien campés : François, celui qui a perdu 45 kilos pendant la série (à la fin, on ne le reconnaît plus), se mord les joues pour ne pas se marrer. Vous en avez une autre, « sœur de la bravitude », elle est dingue, bien qu'elle n'ait aucune chance de gagner, elle passe son temps à proposer le poste de Premier ministre aux autres. Vous avez aussi Arnaud... Monte... quelque chose, je ne sais plus. Un grand gommeux, un peu fin de race mais de gauche, le charisme de Bobby dans *Dallas*. Il veut que Dominique présente des excuses à son parti ! Un vrai casting, les ingrédients incontournables de ce qui fait une série culte : sexe, fric et pouvoir.

Tout l'été, les épisodes s'enchaînent, on est tenu en haleine. « L'appart à 50 000 dollars », « Les mensonges de Nafissatou », « Après la mère, la fille ! » La mère de Tristane qui avoue, elle aussi, avoir couché avec Dominique, énorme idée de scénariste ! On se dit qu'au prochain épisode, c'est la grand-mère de Tristane qui va passer aux aveux, épisode 12 : « Le gérontophile de Tribeca ! » Quelle fin idiote dimanche soir ! 13 millions de téléspectateurs, un record d'audience historique pour un épilogue aussi nul. « Faute morale », avaient-ils intitulé, mauvais titre ! En fait, l'intrigue n'était pas crédible. Jamais, dans la vraie vie, un homme politique, ayant tiré des coups un peu partout, ne serait convié à s'expliquer au journal de 20 heures. Ou alors, il aurait fallu que la scène se passe chez Mireille Dumas, style confession intime : « Dominique bonsoir, vous étiez un homme politique de tout premier plan, 56 % des Français souhaitaient voter pour vous à la présidentielle et puis le 14 mai 2011, au Sofitel de New York, patatras, une envie irrépressible, vous vous déboutonnez et tous les espoirs de la gauche finissent sur la moquette. Comment, après, explique-t-on un tel geste à ses proches ? » Tout était raté, même lui, qui d'habitude est très bon comédien, semblait réciter un texte appris. Pourtant, Dieu sait qu'il nous avait impressionnés quand il portait des menottes dans l'épisode « Rikers Island ». Peut-être l'habitude d'en mettre dans l'intimité ? On sentait qu'il était copain avec la journaliste et qu'il avait eu les questions à l'avance. Là aussi, ce n'est pas crédible : dans la vraie vie, jamais une grande chaîne d'info n'aurait cautionné une telle pantalonnade !

Et puis le côté vieux chat de gouttière repentant pris la main dans le pot de confiture, ce n'est pas le Dominique qui nous captive depuis des mois. Il fallait une fin avec du panache, un héros qui assume : « Oui, j'aime le sexe, je trompe Anne et elle est au courant ! » Fallait aller jusqu'au bout : « Je vais vous dire, Claire, ce qu'il s'est passé dans la suite 2806 : on s'est éclaté comme des bêtes, on a enchaîné 75 positions du kamasutra en moins de 6 minutes 30, jamais pris un tel pied!»

Dominique paraissait triste dimanche. On a le sentiment qu'il finira comme Jacques Chirac, attablé chez Sénéquier à Saint-Tropez, surveillé par maman, sans pouvoir bouger une oreille. Puisque Dominique nous annonce qu'il abandonne la «légèreté», peut-être, qu'au final, ils ont bien fait d'arrêter la série.

15 FÉVRIER 2014

À poil, Copé !

Depuis quelque temps, je me demandais pourquoi ma fille Violette s'était mise à jouer aux voitures, à emprunter les pistolets de ses frères et déclarait à qui veut l'entendre que plus tard, elle serait garagiste. Une jolie blondinette de 6 ans portant casquette, blouson de cuir et refusant obstinément d'être en jupe. Une princesse découverte l'autre jour assise devant Monaco-PSG, chantant à tue-tête avec les garçons : «Monaco, on t'encule !» Je me demandais qui l'avait dénaturée à ce point ? Aujourd'hui, je sais ! C'est Najat Vallaud-Belkacem, Vincent Peillon et leur théorie du genre ! À force de vouloir promouvoir l'égalité des sexes à l'école, le gouvernement a totalement perverti ma Violette.

Au départ, je prêtais peu attention aux folles rumeurs circulant sur le Net : «L'éducation sexuelle enseignée dès la maternelle, les élèves incités à la masturbation, l'apologie de l'homosexualité...» Même si parfois des images me traversaient l'esprit : une classe verte organisée au bois de Boulogne, un transsexuel maquillé comme un camion volé racontant ses expériences à des bambins bouche bée, je pensais que tous ces délires étaient encore un coup de la droite réactionnaire et des «mariage pour tous». Néanmoins, j'avais quand même noté certains changements chez la maîtresse et une bonne humeur inhabituelle...

Un commentaire sur le carnet de correspondance de ma fille m'avait alerté en particulier, deux phrases, pleines de sous-entendus : «Violette est de plus en plus éveillée, elle participe et s'enthousiasme énormément!» L'air de rien, je décidais de questionner ma fille, histoire de savoir ce qui se tramait exactement derrière les murs de l'école : «Tu as encore piscine cette semaine, ma chérie? / Tous les lundis, papa! / Mais dis-moi, vous vous baignez comment... en maillot? / Bah oui, t'es bête, même que Jules a mis mon maillot... / Comment ça, Jules a mis ton maillot, vous échangez vos maillots, je vais en parler à ta maîtresse!!! / Sur la tête papa... il a mis mon maillot sur sa tête pour faire le clown.»

J'étais de plus en plus fébrile. Je sentais instinctivement que quelque chose ne tournait pas rond. Et puis, dimanche dernier, lorsque Jean-François Copé a brandi à la télévision le livre pour enfants *Tous à poil!*, mon sang n'a fait qu'un tour. Si Copé, qui a frayé avec des voyous, des trafiquants d'armes, passé des vacances chez eux, reçu des cadeaux de leur part... si cet homme, dénué de tout sens moral, se révolte ainsi... l'affaire est grave! Je demandai à Violette – qui venait de brûler à l'aide d'un briquet son unique Barbie pour jouer à la police scientifique – de quitter immédiatement le salon. Ulcéré, vent debout, le chef de l'UMP égrenait à voix haute des extraits du livre : «À poil le bébé, à poil la baby-sitter, à poil la mamie, à poil le chien, à poil la maîtresse...». «À poil la maîtresse !» : l'histoire de la piscine, de Jules et du maillot de bain de ma fille prenait tout son sens !

L'indignation de Copé m'ouvrait les yeux, je comprenais enfin les dangers de certains ouvrages destinés à la jeunesse. Le scandaleux *Tango a deux papas*, l'immonde *Mademoiselle Zazie a-t-elle un zizi ?* Je me remémorais certains livres, dessins animés qui avaient à coup sûr perverti ma Violette.

Kirikou, par exemple, dont la famille se balade à poil en permanence ! Barbapapa, qui est rose, comme par hasard, et totalement asexué. À moins (ils en sont capables !) qu'il se transforme un jour en pénis géant pour faire l'amour à Barbamama : «Hipipip barbabite !» Je revoyais l'innocent Oui-Oui et sa kyrielle de personnages douteux : le garagiste monsieur La Pompe, sa fiancée mademoiselle Chatounette, monsieur Culbuto ! Et que dire de Oui-Oui lui-même dont «le grelot sonne quand il est content», toujours fourré chez monsieur Potiron qui vit dans un champignon, certainement hallucinogène. J'étais effondré !

Pour conclure, je souhaiterais attirer l'attention de monsieur Copé sur sa bande dessinée préférée, le héros de toute sa jeunesse, Tintin. Faut-il lui rappeler que le célèbre reporter à houppette vit seul avec Milou et qu'on ne lui connaît aucune relation féminine, hormis la Castafiore, dont la ressemblance avec Nadine Morano est troublante. En revanche, dans plusieurs albums, Tintin met tout en œuvre pour secourir de jeunes garçons. C'est le cas de Zorrino, le vendeur d'oranges péruvien, d'Abdallah le fils de l'émir et de Tchang. À propos de la relation de Tintin avec Tchang, Hergé, interviewé par Bernard Pivot, disait : « C'est une histoire forte d'amitié, voire d'amour. » Monsieur Copé, il est temps d'agir, nos chères « têtes blondes » (sans houppette) sont en danger ! L'Observatoire de la Théorie du Genre, chargé d'alerter les parents sur les dangers encourus par nos chérubins, écrivait cette semaine : « Demain nos enfants ne liront plus *Les Trois Mousquetaires*, mais plutôt *Papa porte une robe*. » Soyons extrêmement vigilants. Si *Papa porte une robe* est un ouvrage scandaleux, alors méfions-nous également des Mousquetaires, des personnages historiques et des héros d'aventure. Le chapeau à plumes de d'Artagnan, le collant moulant de Thierry la Fronde, la jupette de Spartacus ont troublé nombre de mes amis.

Décidément,
tout commence à l'école...

Si l'on avait fliqué l'enfance des politiques...

Dieu sait si je ne suis pas toujours d'accord avec certains projets du gouvernement... mais là, ce nouveau dispositif qui permettrait de repérer les comportements dangereux dès la maternelle, je trouve ça formidable ! Après une batterie d'épreuves, nos chérubins déclarés toxiques seront classés en deux catégories : « à risque » et « à haut risque », un peu comme des déchets nucléaires. L'arrivée imminente du bébé de Carla et Nicolas Sarkozy a certainement joué dans cette décision.

Un bébé, dont le papa pourrait très vite se retrouver au chômage, un nourrisson contraint, dès son huitième mois, à quitter son berceau douillet de l'Élysée pour un départ vers l'Italie. Un bambin transbahuté, partagé entre une mère tentant un énième come-back dans la chanson, et un père rédigeant ses mémoires sous la férule d'un Henri Guaino lugubre et cafardeux... ne peut que mal tourner. Il y avait urgence. Évidemment, comme il en va pour toutes les idées lumineuses, on s'interroge : pourquoi ne pas y avoir pensé avant? Imaginez tous les problèmes, tous les drames qu'on aurait pu éviter si l'on avait surveillé, fliqué nos maternelles depuis des décennies. Les experts interrogés sont formels : « Les difficultés apparaissent très tôt chez l'enfant et elles ne se rattrapent pas. »

En 1962, à la maternelle de Neuilly-sur-Seine, madame Dupuis avait repéré le comportement étrange du petit Brice H... Cet enfant blond, d'une pâleur extrême, ne supportait pas ses camarades de couleur et multipliait à leur encontre des plaisanteries douteuses. Il parlait de les mettre un jour dans des avions avec des liens aux pieds! À peine sut-il écrire, Brice noircissait des fiches sur ses camarades, riches de renseignements étranges : couleur de peau, profession des parents, tendance politique. Il fouillait les cartables et écoutait les conversations aux portes. La maîtresse avait signalé le problème à la directrice, madame Lebrun, qui n'avait rien fait. Elle s'était contentée d'évoquer un cas similaire à la maternelle de Vimy dans le Pas-de-Calais, celui du petit Guéant. Un enfant souffreteux et solitaire qui se faisait sans cesse bizuter et casser ses lunettes. Un jour, « la Cloche » (c'était son surnom) avait été retrouvé dans la cour, le zizi recouvert de dentifrice. La Cloche, qui ne pleurait jamais, ne montrait jamais aucune émotion, avait promis de se venger. Inquiète, la directrice nota dans son dossier scolaire : « Il faudrait que cet enfant soit entouré d'amour, que sa mère s'occupe de lui, qu'on lui offre un chien, un poisson rouge, sinon, je redoute le pire. » Peine perdue, la Cloche (surnommée aussi « Claudine » lors de sa puberté) ne sera jamais prise en charge.

Les exemples sont légion : à la maternelle de Fès, le petit Éric Besson aurait dû être classé comportement «à haut risque». Rien ! Éric trahissait ses copains en permanence. Il les amadouait, leur promettait la lune et les balançait par-derrière à la maîtresse. S'il jouait à la balle aux prisonniers, il se débrouillait toujours pour finir du côté des vainqueurs. Une vraie girouette.

Que dire encore de la petite Dati, attirée par tout ce qui brille, arriviste au dernier degré ! À 3 ans, elle suppliait sa mère de broder la marque Bonpoint sur ses pulls Kiabi. Elle disait qu'elle ne voulait pas de maris et chantait à tue-tête la chanson de Goldman *Elle a fait un bébé toute seule*. Dans cette famille maghrébine de onze enfants, ça passait très mal. Les autorités scolaires n'ont rien fait !

Et la Morano, une chipie hystérique, qui exigeait qu'on l'appelle «Marilyn». «Marilyn, tu te la pètes, quand tu parles, lui disaient les enfants, on dirait que tu vends du poisson sur un marché !»

Et le petit Lefebvre, si attardé, qu'un temps, il fut question de lui faire redoubler sa maternelle.

Borloo, qu'on avait surpris avec une fiole de calva durant un pique-nique au zoo de Vincennes, était surnommé «la Baudruche» car il promettait des choses extravagantes et se dégonflait toujours.

Que dire du petit Fillon, dépressif notoire, toujours fourré à l'infirmerie, où il retrouvait la jeune Roselyne, qui, passionnée par les médicaments, lui faisait goûter des cocktails de tranquillisants.

Et le petit DSK, obsédé sexuel à 3 ans et demi, en érection du matin au soir. Il s'amusait à soulever le couvercle de son pupitre avec son zob. À la sieste, la maîtresse, traumatisée, refusait de lui mettre une couche. Rien, jamais rien, n'a été fait pour ces enfants.

En 2009, pourtant, Anne-Marie Laroche Verdun, la maîtresse de maternelle de Nicolas Sarkozy, a publié un livre dans lequel elle décrit un Nicolas « timide et introverti, sans cesse fourré dans ses jupes, qui ne commandait pas et avait peur des autres ». Un petit garçon, qui ne pouvait pas participer aux courses de relais, car ses camarades l'accusaient « d'avoir de trop grosses fesses et de les faire perdre ! » Il aurait suffi pourtant de si peu de chose : classer cet enfant « à haut risque », lui dire que ses fesses étaient normales et l'entraîner à la course. Aujourd'hui, cinquante-trois ans plus tard, on n'en serait pas là.

22 FÉVRIER 2014

César du meilleur ministre

Super ! François Hollande va remanier son gouvernement. Moi, s'il y a un événement qui m'excite, que j'attends avec plus d'impatience encore que la cérémonie des césars ou des oscars... c'est bien celui-ci ! Le changement devrait intervenir avant les européennes... ou après la branlée des municipales si vous préférez. Pourvu que le président fasse les choses avec classe, qu'il ne se sépare pas de son équipe comme il a congédié Valérie Trierweiler : «Je fais savoir que je mets fin au gouvernement commun que je partageais avec vous !» Et si un malheureux proteste, le tarif est désormais connu : piqûre de somnifère et cure de sommeil forcée une semaine à l'hôpital. Une méthode typiquement poutinienne. Peut-être que Hollande a appelé le maître du Kremlin alors que Valérie, hystérique, brisait le mobilier national : «Allô, Vladi ? C'est terrible, elle est pire que Ségolène, elle menace de révéler des secrets d'État ! – Utilise du polonium-210. – Non, je ne veux pas la supprimer, juste la calmer.

– Da, colle-lui un somnifère puissant, c'est ce qu'on a fait avec la mère d'un marin du Koursk. C'est radical!» J'espère que le président va bien s'y prendre et que cette belle fête du remaniement ne sera pas gâchée. Le bonhomme a tellement de mal à trancher, à prendre une décision. La dernière fois, c'est *Closer* qui l'a forcé à agir. Sans le coup de pouce du magazine people, il serait encore le cul entre deux chaises, à sortir casqué la nuit, façon Daft Punk. Avec lui c'est certain, les ministres vont flipper jusqu'à la dernière minute : «Super, il m'a donné l'Éducation nationale! – Calme-toi, ma belle, il l'a promis à deux autres personnes. – Absolument pas, il m'a juré que c'était moi, que j'étais la meilleure, la plus... – Attends! Valérie aussi, la veille de la plaquer, il devait l'emmener à Venise et la demander en mariage dans la plus belle suite du Danieli... Résultat, vingt-quatre heures plus tard, elle était en camisole à l'Hôtel-Dieu, shootée au Stilnox!» Je crains le pire... Hollande est capable d'utiliser son compte Twitter pour annoncer aux ministres sortants leur disgrâce. 140 signes, c'est pratique : on évite les confrontations, les explications et les crises de larmes : «Cher @moscovici, dis à ta fille... pardon à ta femme @marie-charlinepacquot que tu es en vacances... prolongées.»

Bon, restons positifs, oublions la manière pour nous intéresser au remaniement lui-même. Qui va rentrer, qui va sortir? Autant vous prévenir, il va y avoir des longueurs! Étant donné que la plupart des ministres sont totalement inconnus du grand public qu'ils partent ou qu'ils restent... que Sylvia Pinel à l'Artisanat succède à Victorin Lurel à l'Outre-Mer, ou que Kader Arif refuse le poste occupé par Guillaume Garot. Tout le monde s'en fout ! C'est le fameux tunnel du meilleur montage ou du meilleur film d'animation lors de la cérémonie des césars.

Les têtes d'affiche sont rares. Une dizaine de ministres connus sur 37 et une seule véritable star : Manuel Valls. Là aussi, la manœuvre s'avère délicate. À part le poste de Premier ministre, impossible de lui proposer autre chose. L'hypothèse reste intéressante. Si Valls est l'heureux élu, ce serait la première fois qu'un Premier ministre de droite gouvernerait avec une Assemblée de gauche (inédit dans l'histoire de la Vᵉ République) ! Cela permettrait, par la même occasion, de récupérer Kouchner, qui, ayant travaillé sous Sarko, peut travailler sous Valls sans être dépaysé. Une hypothèse qui *de facto* libère Jean-Marc Ayrault, lui permettant ainsi de retourner à Nantes construire son aéroport, saccager des zones humides, bousiller des espèces protégées. C'est pour ça qu'on le laisse faire : c'est sa retraite à lui, son cadeau de départ, une sorte de césar d'honneur. Rassurons-nous, il y aura bien des moments truculents, des nominations que le public attend avec délectation. Autant vous dire que le nom du futur ministre de l'Écologie fera gondoler tout le monde. Là, pour le coup, Hollande fume sous la douche, n'importe quel Vert peut faire l'affaire. C'est le ministre le moins compliqué à trouver. On peut s'essuyer les pieds sur lui, le maltraiter, le trahir, l'écolo accepte tout ! Son caractère, son éthique, sa fierté sont biodégradables. Je me souviens d'un voisin qui possédait un chien avec ce tempérament. Il avait beau le tabasser, l'insulter... le toutou revenait toujours en remuant la queue ! Si Trierweiler avait été écolo, Hollande n'aurait même pas eu besoin de négocier son départ. La semaine à la Lanterne, le chèque, la prise en charge de son loyer... inutile ! Ses affaires auraient été jetées sur le trottoir de l'Élysée par un garde républicain et elle serait partie avec le sourire.

Personnellement, je veux rester positif. Ce nouveau gouvernement va nous réserver des surprises, j'en suis certain. Quand on pense que Ségolène elle-même va peut-être faire sa grande rentrée. On salive d'avance, les premières bourdes, les premières illuminations... Hollande qui la défend (bien obligé, elle a des dossiers sur lui), puis qui ne la défend plus, puis... Le show ne fait que commencer ! Il peut aussi y avoir une surprise de dernière minute. Cette semaine, Bernard Tapie s'est dit prêt à renflouer *Libération*. Tapie à *Libération*, vous imaginez... tout est toujours possible, même l'inimaginable.

8 MARS 2014

Un conseiller très à l'écoute

Il y a deux ans, à la faveur du succès de *La Conquête,* la Gaumont me contactait avec l'idée que j'écrive une comédie politique. Aucune consigne, j'avais carte blanche, je pouvais «me lâcher»! Six mois plus tard, je me retrouvais assis face au *big boss* de la Gaumont, Nicolas Seydoux, entouré de tout son staff et c'est légèrement impressionné que je démarrais mon *pitch* :

«Voilà, c'est l'histoire du journaliste d'extrême droite Patrick Buisson qui, pour faire triompher ses idées, permettre au FN d'accéder au pouvoir, fait exploser la sarkozie et détruit l'UMP! [L'œil pétillant, Seydoux m'encourage à continuer.] Il sait que le clan Sarkozy est un repaire de voyous, il connaît tous les dossiers, toutes leurs combines : affaire Bettencourt, Karachi, Tapie, Woerth, MAM, financement libyen... L'idée c'est de les infiltrer. – *Les Infiltrés,* excellent titre, déjà pris, mais excellent – Buisson fait copain-copain avec Sarko, le flatte, lui dit que c'est le meilleur. Le président se laisse embobiner et en fait son plus fidèle conseiller, son visiteur du soir attitré. Ce dernier profite de son nouveau statut pour trahir le président et enregistrer ses conversations à son insu.

– Attendez, quelque chose m'échappe, comment fait Buisson pour enregistrer le chef de l'État ? Il s'épile le torse, se scotche un micro sur le thorax, façon *Homeland* ? [Une assistante pouffe. Je sens que c'est mauvais signe.]

– Il a un dictaphone dans sa poche !

– Impossible, Buisson a déjà enregistré ses confrères du journal *Minute*, Sarkozy n'est pas assez stupide pour faire confiance à une telle barbouze !

– Justement si ! C'est une comédie, on grossit le trait pour provoquer le rire. De la même façon, Buisson est sans arrêt la main dans la poche pour vérifier que son dictaphone marche. On pense qu'il se tripote, ça fait rigoler tout le monde, sauf MAM qui le surnomme « le satyre » ! [Les collaborateurs de Seydoux regardent leurs chaussures, le malaise est palpable, le boss est sceptique.]

– Pour une comédie, des enregistrements sur des scandales financiers très techniques comme Karachi ou la Libye, c'est un peu rébarbatif !

– J'y ai pensé. Buisson va aussi enregistrer des conversations privées.

– Il est détraqué à ce point, votre personnage ?

– J'ai imaginé une scène à la Lanterne durant laquelle Carla Bruni se plaint d'entretenir son mari. Elle dit qu'à son âge, elle pourrait faire des pubs pour des crèmes antirides et s'en mettre plein les fouilles.

– Stop ! N'est drôle que ce qui est crédible ! [Un assistant fayot note la phrase.] Carla Bruni Tedeschi, une aristocrate élevée au château de Castagneto, vous en faites une beauf, une bidochonne vénale qui veut faire de la pub ! Et pourquoi pas une scène où Buisson enregistre Dati s'envoyant en l'air à la garden-party et où l'on découvre qui est le père de Zohra ! [J'étais fasciné, Seydoux devinait la suite de mon film.]

– C'est exactement ce qui se passe ! Chaque semaine, Buisson balance une nouvelle bombe sous la forme d'un enregistrement. Sarkozy hilare revenant de chez Liliane Bettencourt : « Je lui ai encore piqué cent briques à la vieille, si elle parle, on la fait passer pour démente, on a trafiqué son dossier médical ! » Woerth disant à Cahuzac : « Pas un mot sur ton compte en Suisse mais pas un mot sur l'hippodrome de Compiègne, c'est donnant donnant. » Kadhafi sous sa tente, dans les jardins de Marigny, se plaignant que Rama Yade l'a traité de « paillasson » : « Elle est encore plus con que Bachelot », ajoute Buisson sous les rires de Sarko. « C'est comme Fadela, je l'ai engagée pour l'image, calmer les minorités visibles », tempère le président. « La rebeu, je peux pas la blairer, surenchérit Buisson, qu'elle retourne dans sa casbah ! » « Oublie tout ça, cher Muammar, conclut Sarko, détends-toi, va chasser le faisan à Rambouillet et pour les putes ce soir, c'est réglé. Et merci encore pour Claude ! »

– Claude qui ? [Seydoux est au bord de l'apoplexie.]

– Guéant ! Pendant que Buisson et Sarko quittent la tente de Kadhafi, on les entend déblatérer sur Guéant. Buisson demande comment « le Cardinal » va justifier les 500 000 euros offerts par Kadhafi. « Il va dire qu'il a acheté des tableaux », répond Sarko. « Ces croûtes, ça

vaut que dalle, rigole Buisson, il a un goût de chiotte.»
«C'est un ancien préfet de province, assène Sarko, un vrai péquenaud!»

– Bon, d'accord, j'ai compris le principe. La droite explose, l'UMP disparaît, mais je ne vois pas en quoi Buisson a gagné son pari, l'extrême droite ne prend pas le pouvoir, le PS gouverne!

– Justement, Buisson est dingue, mais malin, il a attendu que la gauche soit totalement discréditée pour frapper. Le chômage est au plus haut, la France au bord de la faillite et Hollande s'est fait gauler par un paparazzi en train de découcher... sur un scooter... déguisé en Daft Punk...

– Écoutez, Stéphane, je n'aime pas perdre mon temps. On vous a commandé une comédie, pas les délires d'un cerveau malade. Ce n'est pas dans l'esprit Gaumont. Merci et au revoir!»

Hier, Nicolas Seydoux m'a rappelé, il veut me voir...

15 MARS 2014

Il faut sauver la droite !

Je vous ai déjà parlé d'Hubert mon grand ami de droite et en particulier de son passage à vide à quelques mois de l'élection présidentielle de 2012 (*Libération* du 4 octobre)[1]. La sarkozie, gangrenée par les affaires, commençait à vaciller et j'avais dû le soutenir et le rassurer quant à la certitude qu'il devait bien exister une jolie droite faite de valeurs et de conviction. Après une sévère dépression dont l'apothéose fut le soir du 6 mai, Hubert avait fini par remonter doucement la pente et retrouver espoir. Être dans l'opposition le galvanisait et il attendait serein «des lendemains qui chantent». De nouveau, nous nous chambrions allégrement lors de dîners passionnés. Mon ami se sentait revivre et plus la gauche accumulait les bides, plus il jubilait : «Ah bravo l'affaire Cahuzac, bravo ! Et après, ça donne des leçons... quant aux portiques écotaxes, c'est plus une reculade, c'est une

---

1. Voir chronique suivante du 4 octobre 2011.

débandade. Ça, pour balancer des gaz lacrymogènes sur des familles lors de la Manif pour tous, ils sont très forts... mais quand c'est des écolos qui saccagent un centre-ville, y a plus personne. Ils feraient mieux de s'occuper du chômage, au lieu de vouloir gommer les différences «hommes-femmes» dès la maternelle... on va finir comme les Grecs : en faillite et dirigés par des tarlouzes!»

De mon côté, j'essayais bien aussi de le chambrer un peu : l'élection truquée de l'UMP, le putsch de Copé, les œillades énamourées de Fillon à l'électorat frontiste... Mais rien ne pouvait entamer le nouveau moral d'Hubert. Il y croyait dur comme fer!

C'est pourquoi, il y a dix jours, lorsque sa femme Isabelle m'a appelé pour me dire que mon ami était au plus mal, qu'il était alité, refusait de s'alimenter et avait déchiré sa carte de l'UMP, je n'y ai pas cru! Une heure plus tard, j'étais à son chevet. Triste, amaigri, Hubert n'était plus que l'ombre de lui-même. «Cette fois-ci, me dit-il dans un souffle, c'est vraiment fichu. Copé, Buisson, Sarko... trois scandales en moins d'une semaine... c'est mort!»

Même si je savais la situation désespérée, je tentais de lui remonter le moral, je lui mentais... comme on fait avec les malades en phase terminale :

«Ils vont s'en sortir, Hubert, à chaque fois, ils bénéficient d'un non-lieu, ils réussissent à acheter un juge, corrompre un magistrat!

– Ils sont cuits, me répond-il dans un râle, le pot aux roses est découvert, plus rien ne peut les sauver, Buisson va tout balancer.

– Écoute, Pasqua, Chirac et Balladur coulent une retraite paisible, si eux s'en sont tirés, tous les espoirs sont permis. Sarko, c'est MacGyver, il s'en sort toujours! Même avec dix affaires de corruption aux fesses, il sera réélu! Quand la ménagère le voit au concert de Carla, souriant, bronzé, saluant la foule, elle s'en fout que ce soit un voyou, l'important, c'est qu'il soit dans *Gala*!»

Hubert ne réagissait presque plus, je devinais Isabelle sangloter doucement à la porte de la chambre, et je décidais d'abattre une dernière carte, un événement qui avait fait le bonheur d'Hubert, qui l'avait fait rire à gorge déployée pendant plusieurs semaines. Je mis mon casque de moto, m'entourai d'un drap et imitai Hollande sur son scooter rejoignant en catimini sa maîtresse.

Hubert eut soudain un soubresaut: «Il a raison! Pourquoi se gêner? Les autres sont tellement cramés qu'il peut tout se permettre: passer la barre des 4 millions de chômeurs, construire un aéroport au milieu du parc de Versailles, reprendre Cahuzac à Bercy, nommer le fils Fabius à la Justice, Gayet à la Culture, Duflot à la tête d'Areva pour construire des EPR, elle est capable d'accepter en plus... il peut tout faire!»

J'étais désemparé, je voulais gagner du temps, empêcher mon ami Hubert de sombrer. Je tentais l'impossible:

«Il n'y a pas que Sarko, Copé et Fillon à droite, on peut trouver quelqu'un d'autre...

– Cite-moi un type honnête, un seul!

– Alain Juppé!

– Il a été condamné à quatorze mois de prison avec sursis.

– C'est du passé. Alain Juppé, c'est chouette comme choix, c'est moderne. (Intérieurement, je me détestais.) On parle d'un ticket avec Bayrou, aucune condamnation, Bayrou. La caissière d'un supermarché oublie de lui compter un article, il le rapporte!»

Hubert fixait le plafond, effondré. J'enfonçais le clou : «Michel Noir, Jacques Toubon, Douste-Blazy! Quand les fondations tanguent, il faut aller chercher les anciens, renouer avec les fondamentaux. Pierre Messmer, ça, c'est une bonne idée. Plusieurs fois ministre, une fois Premier ministre, grand résistant, un type irréprochable Messmer!

– Il est mort!

– T'es sûr?

– Mort et enterré.

– C'est encore mieux! Irréprochable, de l'expérience et mort! Comme ça, on est sûr qu'il ne fera jamais de connerie, qu'il restera vierge. C'est la solution pour la droite!»

Hubert souriait de nouveau, je sentais qu'il était sauvé... mais pour combien de temps?

Je ne laisse jamais tomber un ami...
même de droite !

4 OCTOBRE 2011

Hubert, mon ami de droite, en pleine déprime

J'ai passé un week-end atroce, épouvantable ! Dimanche, vers 1 heure du matin, je m'apprêtais à aller me coucher quand j'ai reçu un appel de mon ami Hubert, en larmes, hoquetant au téléphone : «T'avais raison, ils sont tous pourris à droite, pas un pour rattraper l'autre, je ne crois plus en rien, je suis perdu !»

Hubert Lantier, on s'est connus au collège à Sainte-Croix de Neuilly. Mon ami Hubert a toujours été de droite, la jolie droite, celle avec des valeurs et des convictions... effondré au téléphone !

Dans un premier temps, j'ai pensé qu'il était bourré. Hubert est un bon vivant, un solide gaillard, passionné comme moi par le crozes-hermitage et le côte-rôtie. Vingt ans qu'on se dispute gentiment à parler politique. Hubert moque mon côté écolo bobo de gauche et moi, ses penchants vieille France, velours de chez Berteil et principes petits-bourgeois : « Je roule dans la nouvelle DS de chez Citroën et j'en suis content.

– Hubert, elle ressemble à une DS comme Ribéry ressemble à Brad Pitt!»

Au téléphone, Hubert pleure, crie, jure, je ne l'ai jamais entendu dans un tel état : «Guéant est un mafieux de la pire espèce, formé à l'école Pasqua, même son propre cœur ne le supporte plus. Cet été, en guise de protestation, il s'est arrêté de battre!» Hubert qui se met à parler comme Didier Porte, l'heure est grave, je prends ma voiture et je fonce chez lui, rue Daumier.

Lorsque j'arrive, Hubert, le poing levé, debout sur son balcon, chante *L'Internationale*! Du jamais-vu dans ce quartier paisible du XVIᵉ. Je me dis qu'il va se faire expulser, lyncher par ses voisins et là, surprise, d'autres personnes l'imitent et reprennent en chœur *L'Internationale*. Des «Mélenchon président» fusent, la rue Daumier est au bord de l'insurrection.

Je ferme la fenêtre et gifle Hubert afin qu'il reprenne ses esprits. Puis, je lui lis, de force, un édito d'Yves Thréard et deux de Gérard Carreyrou, de vrais tracts indigestes, mais un remède de cheval, je dois lui sauver la vie! «Saloperie de socialistes!», hurle-t-il. Ouf, l'édito d'Yves Thréard fait son effet, je retrouve mon Hubert. Il me confie qu'il est désespéré, qu'il veut résilier son abonnement au *Figaro,* retirer ses enfants des scouts de France et vendre sa DS. Quant à la visite du musée Chirac, prévue en Corrèze, pour ses vingt ans de mariage avec Suzanne, il ne peut plus en être question. «Va au musée Balladur, il vient d'ouvrir à Palerme, rue Corleone. L'entrée se paye uniquement en liquide et c'est gratuit si t'as un casier judiciaire!»

Hubert n'a plus le cœur à rire. Dans sa famille, on vote à droite de père en fils, c'est une tradition, une jolie droite sincère et intègre.

« Arrête de pleurer, Hubert, t'es pas tout seul [je ne sais pas pourquoi, je me suis mis à citer Brel]. Il y a eu de bonnes choses de faites sous Sarko, tout n'est pas à jeter !

– Cite-m'en une, une seule !

– La gestion de la grippe A, souviens-toi, entre deux week-ends à l'œil chez Ben Ali, MAM revenait à Paris animer des points presse avec Bachelot qui roulait de grands yeux pour nous effrayer. On devait tous crever... eh bien on s'en est sortis, on est vivants !

– Arrête, ça a été un gâchis phénoménal, 20 millions de doses détruites, 400 millions d'euros à la poubelle ! Ils auraient dû la piquer vraiment Roselyne, lui faire une "Troy Davis".

– Arrête, Hubert, je veux bien que tu sois désespéré, mais il y a des limites, même moi, je n'oserais pas ! »

Dehors, le jour se lève, j'ai revisité tout le quinquennat présidentiel, tenté de dénicher des points positifs... en vain. J'abats alors ma dernière carte : le bébé !

« Il va y avoir la naissance, Hubert, pense au bébé, un nourrisson c'est mignon, c'est craquant, ça réconcilie tout le monde !

– J'y crois plus. Ça va foirer comme d'hab, il aura les tics de son père et la voix de sa mère.

– Hubert, tu es odieux, on parle d'un tout-petit !

– Et puis, va lui trouver un parrain dans l'entourage du président, quelqu'un qui n'est pas mis en examen, ou condamné, c'est impossible !

– On en choisira un qui est déjà en prison, comme ça, il n'y aura pas de mauvaises surprises. Il y a une jolie chapelle à Fleury-Mérogis, on le baptisera là-bas !»

Hubert est maintenant blotti dans mes bras et je lui caresse doucement la tête :

«Ressaisis-toi, mon Hub, souviens-toi de la droite de notre enfance, souviens-toi de Pompidou récitant des vers de Paul Éluard pour répondre à un journaliste : "Comprenne qui voudra/Moi mon remords ce fut/La victime raisonnable/Au regard d'enfant perdue/Celle qui ressemble aux morts/Qui sont morts pour être aimés."»

Hubert s'est endormi bercé par Paul Éluard. Déjà, dans les rédactions, de nouvelles révélations tombent, plus accablantes les unes que les autres. Dans quelques heures, à son réveil, je devrai à nouveau consoler mon ami.

Depuis le grand retour de Sarko en politique,
Hubert va mieux.
Mais pour combien de temps?

22 MARS 2014

Votez pour le moins pourri...

Dimanche, il va falloir aller voter. Si, si, bien obligé! Même si c'est difficile, même s'il faut se faire violence, il va falloir y aller. Pas question de s'abstenir et de laisser la place au fascisme *new wave* de Marine Le Pen. Je devine ce que vous vous dites : des mois que nos hommes politiques nous trompent, nous consternent, nous mentent «les yeux dans les yeux» et dimanche ils nous demandent de désigner le «meilleur» d'entre eux! Pas facile. Imaginez un *The Voice* dans lequel tous les candidats chanteraient faux, une élection Miss France avec que des filles moches, un *MasterChef* où l'on cuisinerait exclusivement de la merde, des trucs indigestes. Et pourtant, il faudrait choisir le plat le moins dégoûtant tout en sachant que pendant des années on devra en manger tous les jours. Bien sûr, certains vous diront qu'il s'agit d'un scrutin municipal et que les qualités de l'élu (de son projet ou de son bilan s'il se représente) doivent primer sur son appartenance politique. Il n'empêche... dimanche, le parti politique qui arrivera en tête ne manquera pas de parader et de voir en sa victoire un symbole national. Dès lors, puisqu'il est impossible de ne pas être inévitablement déçu, pourquoi ne pas choisir le maire issu de la formation politique la moins pourrie.

Une méthode simple et facilement réalisable à la maison. Avant de vous rendre dans votre bureau de vote, inscrivez sur une feuille de papier différentes catégories, telles que : « l'homme politique le plus malhonnête », « le plus lâche », « le plus menteur », « le plus de casseroles aux fesses », etc. Puis, dans chaque catégorie, désignez la famille politique vous semblant la plus performante. Une fois ce travail effectué, faites les comptes et votez pour la formation la moins nommée. Un procédé par élimination ! Une manière ludique de voter tout en restant réaliste sur le résultat : on sait qu'on va se faire baiser mais on a la consolation de choisir sa marque de vaseline. Bien sûr, il existe des villes pour lesquelles ce procédé s'avère inutile dans la mesure où celui qui se présente s'affiche d'emblée comme un voyou notoire. Prenons Levallois et les époux Balkany, Le Raincy et le sémillant Éric Raoult accusé de harcèlement sexuel, après l'avoir été pour violences conjugales... Dans ces cas précis, les élus locaux étant à la hauteur des grands dirigeants nationaux, il est inutile d'établir des listes.

Pour tous les autres prétendants, je vous propose mon palmarès personnel. Une sélection qui bien évidemment n'engage que moi. À quelques heures du vote, je ne voudrais surtout influencer quiconque. Dans la catégorie du plus gros menteur, une des plus disputées cette année, la gauche décroche la palme, grâce à deux très belles performances, celles de Jérôme Cahuzac et de Christiane Taubira. Au passage, la garde des Sceaux décroche une autre palme, celle de la femme politique «la moins aimable et la plus arrogante» : je vous pourris la gueule si vous m'interrogez sur mon mensonge !

La palme de l'homme politique le plus grotesque est également remportée par le PS grâce à l'accoutrement avec lequel François Hollande va rejoindre «incognito» sa dulcinée. Vous imaginez la peur de Poutine quand on lui dit que c'est ce grand stratège qui envisage de prendre des sanctions contre lui. Précisons que la palme du plus grotesque est extrêmement redoutée par les partis politiques. En effet, lors d'un vote, l'électeur peut privilégier le look d'un candidat et son charisme plutôt que de s'attarder sur ses malversations. Par exemple, si l'UMP, grâce à Sarkozy, remporte la palme des plus gros voyous, l'ancien président se maintient cependant très haut dans le cœur de la ménagère. C'est le syndrome du parrain, on se place tout de suite du côté d'Al Pacino. À noter que suite à sa tribune dans *Le Figaro*, l'ancien président vient de décrocher la palme du plus hystérique, très préjudiciable en termes d'image. Une palme qui, jusque-là, revenait d'office à Nadine Morano.

Reste que la distinction la plus redoutée, la Palme d'or, demeure celle de «la crapule la plus antipathique que rien ne rachète». Pour la décrocher, le candidat doit allier des méthodes de voyou à une image de merde. Rien ne le sauve ! Vous l'avez deviné, l'heureux élu est Jean-François Copé. Le secrétaire de l'UMP qui permet même à son parti de décrocher une toute nouvelle palme créée spécialement à son intention : celle de l'éternelle victime. «Je magouille à tout va pour enrichir mes amis, je ruine mon parti et quand on m'accuse je hurle au complot.»

Voilà, vous avez dorénavant compris le système. Tâchez de n'oublier personne. Beaucoup se sont distingués cette année. Je pense notamment à Mélenchon pour ses manifs truquées et son soutien inconditionnel à Poutine. Faites attention également au «candidat furtif», le François Bayrou, celui qui ne fait plus rien, ne dit plus rien et qui *de facto* remonte dans les sondages. Une technique utilisée dans le cyclisme. On reste planqué dans le peloton, on suce la roue des autres et on s'échappe au dernier moment.

Dernière chose, si vous habitez à Corbeil-Essonnes et que vous n'avez pas reçu de chèque de Serge Dassault pour voter, restez chez vous, ce n'est pas normal.

Et maintenant... à vous de jouer !

Danse avec les fafs!

Je ne comprends pas cet affolement général qui s'est emparé d'une partie de la classe politique et des médias après le carton réalisé par le Front national au premier tour des élections municipales. «Peur sur les villes», titrait *Libération*... Rien que ça! Entre les appels au front républicain, les incantations sous Valium de Jean-Marc Ayrault et la boulette d'Harlem Désir annonçant le retrait de listes PS pour faire barrage au FN, alors que ces dernières n'étaient même pas qualifiées, c'était panique à bord. Pourquoi une telle frayeur, une telle perte de sang-froid? Il est vrai que la dernière fois que le FN a dirigé des municipalités, que ce soit à Toulon, Orange, Vitrolles ou Marignane, l'expérience s'est soldée par un désastre, aussi bien sur un plan moral qu'économique: trois maires frontistes sur quatre condamnés par la justice pour corruption et clientélisme.

Des maires tous élus autour du slogan «Tête haute, mains propres». Un slogan porte-bonheur repris aujourd'hui par... Marine Le Pen ! Mais bon, c'était il y a vingt ans, ne pourrait-on pas aujourd'hui retenter l'expérience FN, donner une seconde chance à ce parti *new wave*, *light* et ripoliné ? Essayons d'imaginer, un instant, la nouvelle vie «bleue Marine» d'Hénin-Beaumont, charmante bourgade du Pas-de-Calais qui s'est offerte au candidat frontiste, dès le premier tour, sans l'once d'une hésitation. Songeons au quotidien de ces 25 000 Héninois et Beaumontois (20 000, une fois qu'on aura conservé uniquement les Français de souche) afin que toutes les villes qui hésitent encore à franchir le pas, telles Béziers, Fréjus, Saint-Gilles, Perpignan... disent «oui» au FN dimanche, rassurées et confiantes. Oui, il s'agit en premier lieu de rassurer, car somme toute, ce n'est qu'une élection locale avec des pouvoirs locaux.

Le nouveau maire d'Hénin-Beaumont, Steeve Briois, devra bien sûr respecter les lois de la République. À titre d'exemple, Steeve, fervent militant du rétablissement de la peine de mort, ne pourra pas la rétablir dans sa commune. Si d'aventure Marine devenait présidente dans trois ans, il est fort probable qu'elle réserve à Steeve le privilège d'organiser la première exécution sur ses terres du Pas-de-Calais. Mais Héninoises, Beaumontois, détendez-vous... trois ans c'est encore loin.

En attendant, Steevy... Steeve ! pardon pour ce lapsus – les jeunes pousses FN n'ayant, pour la plupart, aucune expérience, aucun bagage, j'ai tendance à les confondre avec des candidats de téléréalité – Steeve, donc, peut engager des réformes locales.

174

Premièrement, il faut changer l'image de la ville. Ne pas hésiter à abandonner les vieux jumelages pour en créer de nouveau. Je pense, par exemple, à un parrainage avec la région de Banskà Bystrica en Slovaquie, dirigée par Marian Kotleba, un homme qui porte l'uniforme fasciste, marche au pas de l'oie et nie l'Holocauste. Dès lors, on pourrait mettre en place des échanges scolaires ou des séjours linguistiques. Les petits Slovaques seraient ravis d'aller visiter une ville dirigée par le FN, un parti dont le président d'honneur a édité des chants nazis et déclaré que «les chambres à gaz étaient un détail de l'histoire». Ils ne seraient aucunement dépaysés. Steeve pourrait profiter de l'occasion pour remplacer le blason ridicule d'Hénin (un cheval blanc ressemblant à celui de Barbie princesse) par quelque chose de plus puissant : une flamme, un trident, une tête de mort. À Hénin, on n'est pas des fiottes ! Marre de ces théories du genre, de ces concepts fumeux sur l'égalité hommes-femmes qui dévirilisent nos garçons !

Il faut très vite réformer, de fond en comble, tout le système gangrené par la coalition «UMPS». À commencer, *mens sana in corpore sano*, par les cantines scolaires. On supprime les menus sans porc pour revenir à des plats du terroir : choucroute et saucisson obligatoires. Priorité aussi à la culture : les spectacles de Jean Roucas et de Dieudonné seront programmés en alternance au théâtre l'Escapade.

Ils démarreront à 18 heures pour permettre aux Beaumontois d'être rentrés avant le couvre-feu de 21 heures. La jeunesse ne doit plus traîner dehors.

L'Escapade proposera également des soirées dansantes avec en *guest star* Marine Le Pen et le néonazi Martin Graf. Pour la plus grande joie des habitants, Marine et Martin referont la valse qu'ils avaient effectuée ensemble, il y a quelques années, à Vienne. Le show intitulé *Danse avec les fafs* sera retransmis en direct sur la chaîne de télévision locale FN TV dirigée par Éric Zemmour. Une chaîne d'opinion sur laquelle Éric Zemmour débattra avec lui-même de thèmes qui lui sont chers. Premier sujet de la saison : « Les employeurs ont-ils le droit de refuser les Noirs et les Arabes ? » FN TV confiera également une émission animalière à Brigitte Bardot qui, avec cinq condamnations pour incitation à la haine raciale, devance pour l'instant Éric Zemmour... qui n'a pas dit son dernier mot !

Voici, pêle-mêle, quelques mesures simples, faciles à mettre en place et qui devraient achever de convaincre les dernières villes hésitantes. Biterrois, Fréjusiens, Perpignanais... si le paradis décrit ci-dessus vous tente, dimanche, n'hésitez plus, faites-vous plaisir !

5 AVRIL 2014

Le changement... c'est hier !

Depuis des années, je tiens un journal dans lequel j'écris à mon grand-père. C'est une habitude curieuse, j'en conviens, mais nous avions ensemble des discussions politiques passionnées. Mon grand-père se révoltait pour tout, éructait contre la nullité de ceux qui nous gouvernent : « Pas un pour rattraper l'autre ! »

Alors, aujourd'hui qu'il n'est plus là, quand l'actualité dépasse la fiction, je ne résiste pas au plaisir de lui écrire et d'imaginer ses commentaires...

« Cher papy, ça y est, nous avons un nouveau Premier ministre, Manuel Valls ! Je t'ai déjà parlé de lui, un petit brun gominé qui porte des cravates roses pour visiter les quartiers Nord de Marseille. Il adore les caméras et poser dans les magazines people. L'an dernier, on l'a vu dans *Match* embrasser sur la bouche son épouse, Anne Gravoin, la violoniste de Johnny Hallyday. Quand Valls était premier flic de France, la belle appelait son époux pour faire sauter les PV de ses copines. Aujourd'hui qu'il est chef du gouvernement, t'imagines les copines : elles vont pouvoir se garer sur les trottoirs, emprunter des sens interdits et brûler des feux rouges !

« Bien sûr, Jean-Marc Ayrault a dû partir. Lui aussi, je t'en ai parlé. La première fois que je l'ai vu à la télé, j'ai cru que le son ne marchait pas. Un type plus triste que Roger Gicquel (je prends des références de ton époque, papy). Pour le consoler, on l'a autorisé à construire un deuxième aéroport à Nantes... Ça ne sert à rien, mais il est tellement dépressif qu'on craint qu'il fasse "une Bérégovoy". Il faut dire que Valls l'a déchiqueté, un peu comme un fox-terrier s'acharnant sur un vieux sanglier. Des mois qu'il intriguait, avançait ses pions, faisait du lobbying sur toutes les chaînes de télé. Et puis, dimanche dernier, après la déroute de la gauche aux municipales, le président a été obligé de le nommer chef du gouvernement. Il le déteste, mais Valls est le seul type de droite à ne pas avoir sa carte à l'UMP !

« En vérité, c'est une cohabitation déguisée. Pour Hollande c'est dur, lui qui avait enfin réussi à se débarrasser de sa compagne Trierweiler grâce au magazine *Closer,* se retrouver à nouveau sous tutelle... pas évident ! Ségolène, Valérie et maintenant Manuel ! François n'a jamais réussi à être libre. Tu me diras papy, la situation de Valls n'est pas plus enviable : être choisi par défaut, savoir qu'on a le job uniquement parce que votre patron a pris une branlée ! Du coup, Manuel a gardé sensiblement la même équipe comme pour s'excuser d'être là. Il a même dû nommer son ennemi François Rebsamen ministre du Travail. Tu te rends compte! Valls nommé par un homme qui le déteste, obligé à son tour de nommer un homme qu'il déteste... sous prétexte que cet homme est l'ami de l'homme qui le déteste...

« Il faut aussi que je t'avoue quelque chose qui va te paraître bizarre, mais Hollande, dont le slogan de campagne était "le changement, c'est maintenant!", compte dans son gouvernement deux personnes qui étaient déjà ministres à ton époque : Ségolène Royal et Laurent Fabius. Je te jure, papy, que ce n'est pas un poisson d'avril. Gaston Defferre est au ciel avec toi, sinon je pense qu'il aurait été nommé au ministère de l'Intérieur! Madame Royal a même repris le poste qu'elle occupait en 1993, le ministère de l'Écologie. Elle a traversé une période mystique assez particulière durant laquelle elle s'habillait en sari indien, agitait des clochettes en scandant "fraternité, fraternité", mais apparemment, elle va mieux. Évidemment, les écologistes ne font plus partie du gouvernement. Ils ne servaient à rien, mais ça m'ennuie quand même. C'était drôle de les voir protester, menacer et finale-ment baisser leur pantalon. Sinon, papy, il y a eu des choses étranges : Christiane Taubira reste à la Justice bien qu'elle ait menti à des millions de Français, alors que Nicole Bricq est virée pour avoir dit que la bouffe était "dégueulasse" à l'Élysée. On espérait un gouvernement porteur de vraies valeurs, on se retrouve dans *MasterChef*!

« Je pense sincèrement, papy, que Taubira fait peur au président, c'est pour ça qu'il la garde. Peut-être devrait-il se fiancer avec elle, lui qui adore se faire fliquer et martyriser serait le plus heureux des hommes : Valls au bureau dans la journée, Taubira à la maison le soir ! Ou plus drôle encore, que Hollande se remette à la colle avec Ségolène. Étant donné que la situation du pays n'est pas près de s'arranger, autant rigoler un bon coup. Hollande arrivant au petit matin en scooter au ministère de l'Écologie. Il faudrait un scooter électrique, que le symbole soit vraiment fort !

«Bon, papy, je te laisse. Ah ! J'oubliais, Jean-François Copé... le gars qui a truqué l'élection pour devenir chef de l'UMP, le copain de Takieddine... si, je t'en ai parlé dix fois, celui qui a ruiné son parti pour enrichir ses amis... eh bien lui, il est "très inquiet de la composition du nouveau gouvernement", il veut "être reçu par le président", il réclame "un message fort dans la lutte contre la délinquance". Il veut qu'on lutte contre lui-même ! Tu te rends compte ! Je t'entends rire, papy... je t'assure que c'est vrai, ce n'est pas un poisson d'avril. Je t'embrasse, papy.»

12 AVRIL 2014

« Paris, on t'encule ! »

Ça a été dur, très dur ! Mardi dernier à la maison, après le coup de sifflet final de Chelsea-Paris-Saint-Germain, nous étions tous en larmes, défaits, abasourdis... Muriel, ma femme, toute la tribu et moi ! Je nous revois encore, lors du match aller, amassés devant la télé, arborant les couleurs de Paris et braillant en chœur avec les supporteurs du parc : « Chelsea, on t'encule ! » Une ambiance bon enfant, comme on les aime chez les Guillon. Malgré la blessure de Zlatan, tout le monde restait confiant, « on allait même mieux jouer sans lui ! » dixit Hervé Mathoux. Dix jours plus tard, la défaite est cruelle, terriblement amère. Hurler pendant quatre-vingt-dix minutes qu'on va sodomiser l'adversaire pour l'être soi-même à la 87e !

Hier donc, face à la tristesse qui submergeait la maison, je décidai de réunir les enfants : « Écoutez, les gars ! (on est très nombreux, donc, je dis les gars), depuis deux ans, vous avez tout enduré, tout supporté : la crise, la baisse du pouvoir d'achat, l'école le mercredi matin, les mensonges de Taubira, Hollande qui se fait pécho en scooter... tout ! La seule bonne nouvelle, c'est la loi sur le mariage pour tous qui a permis à votre oncle Bernard de se fiancer avec un pompier. En cas d'incendie, nous serons secourus plus vite !»

Les enfants m'écoutaient bouche bée. Ils sentaient au fond d'eux que la situation était grave. Je me piquai au jeu et me mis à leur parler façon Aimé Jacquet dans *Les Yeux dans les Bleus* : «Jusqu'à aujourd'hui, les gars, il nous restait le foot, uniquement le foot ! Après la nouvelle défaite du PSG dans un quart de finale de Champions League, notre seule chance de remporter un jour la coupe aux grandes oreilles, c'est de devenir anglais, espagnol ou allemand... bref, l'exil ! Alors, ou bien vous restez ici, à Paris, à vous laisser endormir par les beaux discours de Manuel Valls, et les prochains rendez-vous footballistiques palpitants, c'est un PSG-Évian le 23 avril et un PSG-Sochaux le 26... ça fait rêver, on frémit d'avance ! Ou, les gars, vous vous sortez le cul des ronces, on fait les valises, on révise ses verbes irréguliers : "To give, gave, given" et avec Muriel, on s'installe à Londres !»

Les enfants étaient ravis, quelques vivats émaillés de «Paris, on t'encule !» envahirent le salon. Victor promit d'aller dès le lendemain chez Go Sport acheter le maillot de Chelsea. Notre ville allait enfin gagner des titres !

Il est vrai que les seuls Français (je ne compte pas les Marseillais) à s'être réjouis de la défaite de Paris sont les exilés fiscaux vivant à Chelsea qui, eux, fêtaient la victoire de leur quartier. Et là-bas, attention, on sait célébrer! Rien à voir avec les casseurs vulgaires du Trocadéro. Je peux vous assurer que mardi, autour du magasin Harrods (le Shopi du coin), aucune Bugatti Veyron n'a été endommagée.

Bien sûr, j'entendais déjà les objections de nos amis : « Peut-on tout plaquer sur un coup de tête, partir du jour au lendemain uniquement pour l'amour du ballon rond ? Et puis, t'es sûr Stéphane que ça n'est pas trop dur d'être loin de chez soi ? Tu crois vraiment que les exilés fiscaux sont heureux ? »

Rassurez-vous, qu'ils habitent en Angleterre ou en Belgique, la plupart continue à travailler ici dans la journée. Amusez-vous, en semaine, à prendre les derniers trains pour Londres ou Bruxelles au départ de la gare du Nord, vous y croiserez le gratin du show-biz et du CAC 40. Le Thalys et l'Eurostar, c'est le RER des grosses fortunes. Ambiance feutrée et bobo chic : « Pas un instant Charlotte et moi n'avons regretté de partir... Les enfants sont ravis, ils ont retrouvé tous leurs copains au lycée Charles-de-Gaulle de Londres... Attends, tout le monde est là-bas ! L'autre jour, ils ont célébré la victoire de Chelsea avec leurs petits cama-rades anglais ! »

Oui, le lycée français à Londres s'appelle « Charles-de-Gaulle ». Chaque jour, les plus grosses fortunes du pays n'hésitent plus à traverser la Manche. C'est l'appel du CAC 40.

Notre décision était prise, nous devions partir, lorsque Léopold, mon beau-fils, l'enfant le plus politisé de la famille, demanda à prendre la parole : « Stéphane, je viens d'apprendre la nomination de Harlem Désir aux Affaires européennes !

– Tu es sûr, Léopold ? Harlem Désir... cette intelligence supérieure, ce battant à fort caractère, ce type dont le charisme et les prises de parole ont marqué à jamais la direction du PS, nous parlons bien du même ?

– Oui, il va nous représenter au niveau européen.

– On reste, les enfants, défaites les valises. Tous les espoirs sont à nouveau permis. La France va prendre une dimension européenne phénoménale, tout va s'arranger et je peux même vous donner l'affiche de la finale 2015 de la Ligue des Champions : PSG-Lyon !»

À nouveau, des vivats retentirent dans la pièce, des «Ici, c'est Paris !», des «Chelsea, on t'encule !». À l'heure où j'écris ces lignes, les Thalys et les Eurostar en partance de Bruxelles et de Londres sont bourrés à craquer, les Français rentrent. Parfois, il suffit d'un rien, d'une décision forte pour que l'espoir renaisse. Un TGV nommé «Désir»...

Roms, uniques objets
de mon ressentiment

Cette semaine, une note interne enjoignant les policiers du VIᵉ arrondissement de Paris à «localiser les familles roms vivant dans la rue et à les évincer systématiquement» provoqua un véritable tollé. Indépendamment du fait qu'il est totalement illégal de cibler une population sur des critères ethniques, on peut comprendre que l'idée de «localiser» et «évincer» des gens ayant été persécutés durant toute leur histoire, notamment par les nazis, suscite l'émotion. Mais pas chez tout le monde, le maire UMP du VIᵉ, monsieur Lecocq, a quant à lui déclaré «ne pas être choqué» par la directive de son commissariat. En bon républicain, Jean-Pierre Lecocq, qui n'aime pas les voleurs de poules, n'a fait qu'obéir à l'injonction de son Premier ministre, Manuel Valls : «Les Roms ont vocation à revenir en Roumanie ou en Bulgarie.» La vocation, ça ne se discute pas, c'est plus fort que tout. Même si les Roms fuient leur pays pour venir ici, leur vocation profonde c'est de repartir. C'est comme ça, ça les dépasse. Et nous, on les aide à réaliser leur rêve en les expulsant.

En revanche, Manuel Valls, de son vrai nom Manuel Carlos Galfetti (un nom à piquer des porte-monnaie?), a été naturalisé français... La vocation encore et toujours ! Bien sûr, pour moi c'est facile de dire : « J'aime les Roms, il faut les accueillir ! » J'habite une jolie maison près du parc de Saint-Cloud et l'unique caravane qu'on aperçoit est celle du téléfilm *Fais pas ci, fais pas ça,* des gens très corrects. À vrai dire, le seul Rom que je croise se trouve au pont de Sèvres près du feu rouge. Je lui file de temps en temps un euro pour qu'il ne fasse pas mon pare-brise !

Cependant, personne aujourd'hui n'est à l'abri. Habitant un quartier attractif qui pourrait être à son tour cerné par les Roms, je vais tenter, en toute bonne foi, de comprendre les arguments de monsieur Lecocq.

Il est vrai que mendier dans le VIe ce n'est pas terrible. Il s'agit tout de même d'un des plus beaux arrondissements de Paris, Saint-Germain-des-Prés, brasserie Lipp, jardin du Luxembourg...

Si les Roms ont très peu de goût au niveau vestimentaire, allant parfois jusqu'à porter des chaussettes ou des chaussures dépareillées, reconnaissons qu'au niveau architectural, beaux emplacements, ils sont imbattables ! Le premier agent immobilier qui engage un Rom pour prospecter fera un carton. Bien qu'ils aiment flâner dans les beaux quartiers, les Roms sont en revanche beaucoup plus raisonnables quand il s'agit de se loger. Dans le XVIIIe arrondissement par exemple, où ils sont installés depuis des années sur le talus du périphérique (des petites baraques en bois et en zinc assez bien fichues), ils ne dérangent personne. Résultat, il n'existe aucune note demandant leur éviction. C'est peut-être la solution : qu'ils flânent où ils habitent. Airparif pourrait d'ailleurs mesurer les effets de la pollution sur les Roms vivant aux abords du périph', recenser le nombre de cancers. Des informations précieuses qui profiteraient à tous.

Essayons de voir le bon côté des choses : dans une période de forte crise, de doute, le Rom est utile, il sert de bouc émissaire. Un peu comme un plomb qui saute en cas d'orage et évite de griller tout le secteur. Même s'il peut sembler dérisoire de craindre la présence d'une population d'environ 15 000 âmes sur notre territoire, la peur du Rom est quelque chose qui nous rassemble. Les dézinguer nous fait du bien. Et, pour une fois, droite et gauche s'entendent à merveille dans l'exercice, un véritable consensus !

Il y a bien sûr les stars du dérapage comme Jean-Marie Le Pen, qui dénonce « leur présence malodorante et urticante » ou Christian Estrosi qui propose de « fournir à tous les maires de France un mode d'emploi pour les mater », mais on trouve aussi des outsiders, des politiques habituellement policés qui se lâchent sans retenue. C'est le cas de NKM pour qui « les Roms harcèlent les Parisiens ». Autant quand ce sont des clochards « normaux » qui font la mendicité, Nath qui est hyper cool n'hésite pas à fumer une clope avec eux, autant quand ce sont des manouches, pas question... même pas une Gitane ! N'oublions pas de citer Pierre Lellouche qui pour sa part « regrette qu'il soit plus facile d'enlever une voiture à Paris, ça prend quinze minutes, qu'un mendiant rom qui peut rester des années avant qu'on le bouge». Ça vient peut-être du fait qu'il est plus délicat de coller un sticker «Enlèvement demandé» sur le front d'un manouche... On risque d'avoir toutes les associations des droits de l'homme sur le dos.

Enfin, on ne peut ignorer un phénomène de mode. Dans les années 1980, grâce au film *Le Temps des gitans* ou aux chanteurs des Gipsy Kings, les Roms étaient branchés, Djobi, Djoba, lalala, lalala, lala... Même Jean-Paul Gaultier avait créé des jupons colorés style romanichel. N'y aurait-il pas eu un phénomène de lassitude? Aggravé par l'affaire Leonarda qui était, soyons honnêtes, très antipathique... Si Leonarda avait eu le sourire et la facétie de Rona Hartner dans *Gadjo Dilo*... (je pose la question façon Pierre Lellouche), est-ce qu'on en serait là?

3 MAI 2014

Jacques Servier au paradis

Je ne sais pas si vous êtes comme moi, mais le 16 avril dernier, la mort de Jacques Servier, papa du Mediator, m'a un peu coupé l'appétit. Je sais bien que c'était le but de cette amphétamine déguisée, habilement présentée comme un antidiabétique, mais quand même. Être responsable du décès de centaines de personnes et mourir tranquillement dans son lit à 92 ans sans devoir rendre des comptes à la justice de son pays, la pilule est amère ! Attention, je ne remets pas en cause l'efficacité du produit. Sachant que les personnes traitées étaient généralement en surpoids, parfois obèses et qu'un squelette pèse entre 4 et 6 kilos, le traitement était bougrement efficace ! Sauf à vouloir se mettre en maillot. Certaines femmes qui, après un retour de couches difficile, ont pris du Mediator pour pouvoir se balader tranquillement l'été sur la plage ont été déçues... peu de bikinis au Père-Lachaise. (Madame est Servier !)

Bref, si Servier a réussi à échapper à la justice des hommes, espérons qu'il n'échappera pas au jugement divin. Son arrivée au ciel ne dut pas être une promenade de santé. Imaginez la réaction de Dieu lorsque son émissaire lui a annoncé la nouvelle. Le créateur était d'humeur morose. Sa journée avait été dure, il avait dû se coltiner Dominique Baudis qui, après son hommage aux Invalides, ne voulait plus être mélangé au commun des mortels. « Avec Marc Blondel, ce sont mes clients les plus chiants ! » déclara Dieu à Cavanna qu'il avait pris en affection malgré les nombreux blasphèmes de ce dernier. « J'en ai marre des chieurs, même si c'est injuste, dorénavant, je ne ferai mourir que des gens drôles ! On m'a parlé de Micheline Dax, il paraît qu'elle siffle très bien, ça va me détendre ! »

Cavanna conseillait à Dieu de laisser encore un peu de temps à Micheline et de rappeler plutôt Jean Roucas qui vieillit très mal, quand l'émissaire annonça la mort de Servier.

« Jacques Servier ! Comment se fait-il que vous l'ayez rappelé, fulmina Dieu, je vous avais dit d'attendre son procès !

– Avec tous les politiques qu'il connaît, plaida l'émissaire, ses nombreux réseaux, il aurait été jugé dans vingt ans pour bénéficier au final d'un non-lieu. Il était trop vieux, on ne pouvait plus attendre. C'est comme Balladur, il va bien falloir qu'on le rappelle un de ces quatre ! »

Dieu était furieux : en France, les puissants s'en tirent toujours et du coup, c'est à lui de se coltiner tout le boulot !

« Et Fabius, le responsable du sang contaminé, que devient-il ?

– Tout baigne, il est ministre d'État !»

Entre-temps Cavanna s'est éclipsé pour rejoindre Coluche et le professeur Choron : «Marre de tous ces cons !»

«Où est Servier ? hurla Dieu.

– Au purgatoire, on hésite encore sur son affectation, paradis ou enfer...

– Comment ça, vous hésitez ?

– Certes, tout le désigne pour l'enfer, mais si on l'envoie au paradis, il croisera ses victimes, 500 morts rien qu'en France et là c'est l'enfer assuré !

– Il nous a déjà envoyé 500 personnes ?

– C'est un de nos plus gros fournisseurs !»

L'émissaire expliqua à Dieu qu'on dépasserait probablement les 2 000 victimes, le Mediator bousillant les valves du cœur, le condamné transporte une bombe à retardement dans sa poitrine. À cet instant, le divin dans sa grande miséricorde essaya de trouver des circonstances atténuantes au vieux chercheur : «Il ne connaissait peut-être pas la dangerosité de son produit ?

– Bien sûr que si, dès 1976 ! En interne, la bande à Servier avait baptisé...

– Évitez ce verbe, supplia Dieu.

– ... avait nommé leur pilule le «Merdiator». En 1971, le produit était testé en secret sur des cobayes humains en tant que coupe-faim, les résultats se sont avérés extraordinaires !

– Vous n'avez pas d'échantillon sur vous ? demanda le Créateur qui se trouvait un peu gros. Étant immortel, je peux avaler n'importe quelle saloperie.»

L'émissaire ne possédant aucun humour, Dieu enchaîna :

« Il a peut-être regretté sa conduite, demandé pardon...

– Que dalle ! Le personnage était autoritaire et cynique. À propos du nombre de victimes, il a déclaré : "500 est un beau chiffre marketing, mais il ne s'agit que de trois morts." Rien n'arrêtait sa course au profit. Son laboratoire recrutait des visiteuses médicales blondes aux yeux bleus pour fourguer son poison aux généralistes. À l'approche des beaux jours, il fallait redoubler d'effort, insister sur l'aspect anorexigène du produit. Un directeur régional avait même déclaré : "Les filles, il faut y arriver, quitte à passer sous la table !"»

Dieu était horrifié, abasourdi, il n'arrivait pas à croire qu'un « médicament » reconnu comme dangereux, interdit dans des dizaines de pays, notamment en Belgique depuis 1978, ait pu être vendu en France pendant plus de trente ans. L'émissaire lui expliqua que Servier avait bénéficié de très hautes protections, que Mitterrand et Sarkozy l'avaient décoré, que le vieux avait même réussi à modifier à son avantage un rapport du Sénat sur le Mediator, que l'Afssaps était mouillée jusqu'au cou ! Dieu déclara que décidément les Français le désespéraient. Accablé, triste, il demanda à voir Micheline Dax : « Cette artiste siffle divinement bien, cela m'apaisera...»

10 MAI 2014

Les Hollandais Anonymes

Le week-end dernier, je buvais un verre avec des potes, cinq amis d'enfance avec lesquels j'ai l'habitude de refaire le monde, lorsque je lançai à la cantonade : «Dites donc, les gars, qu'est-ce que vous avez prévu le 6 mai, ce serait pas mal de faire quelque chose, non?» Les visages étaient perplexes. «Qu'est-ce que tu veux fêter le 6 mai? interrogea Pascal. La sainte Prudence, l'incendie de la cathédrale de Reims, la naissance de Clavier?» Pascal, hypermnésique des dates, séchait comme les autres.

«Tu plaisantes, lui dis-je goguenard, le 6 mai, ça fera deux ans que François Hollande a été élu président de la République.

– Que deux ans! dit Julien qui avait distribué les tracts du candidat sur les marchés.

– Tu veux dire qu'on a encore trois ans à se le coltiner, ajouta Pierre qui, lui, avait collé des affiches.

– Avec Fabienne, on n'en peut plus, renchérit Didier qui avait voté Mélenchon au premier tour.

– Et tu veux célébrer ça ! asséna Ludo, mais t'es complètement marteau ! »

Malgré les boutades et les sarcasmes des uns et des autres, je poursuivai mon idée :

« Je n'ai pas dit qu'on allait sortir le champagne et faire la fête toute la nuit. Mais ce serait bien qu'on se retrouve quelque part, on ne va pas rester chacun chez soi à broyer du noir !

– C'est vrai qu'il vaut mieux être ensemble, ça sera moins glauque, admit Julien. Pierre l'a dit, il nous reste encore trois ans. Trois ans avec Hollande, il faut multiplier par sept, c'est comme avec les chiens et les chats... »

Je décidai d'interrompre le massacre :

« Sérieusement, les amis, on a tous voté à gauche, on est affreusement déçus...

– Trahis ! hurla Didier.

– Trahis, si tu préfères. Ça ne sert à rien de se morfondre. Je propose qu'on se réunisse pour en parler, que chacun vide son sac.

– Une sorte de groupe de parole sur le modèle des Alcooliques Anonymes, demanda Pascal ?

– Exactement. On pourrait appeler ça les "Hollandais Anonymes".

– Je suis d'accord, déclara Pierre, moi aussi, je me sens hyper seul. Parfois, au bureau, quand tout le monde tape sur les socialistes, je n'ose même plus dire que j'ai voté pour eux. »

Je profitai de ce moment de communion pour établir quelques règles :

« En revanche, camarades...

– Les amis, si ça ne t'ennuie pas !

– ... ces réunions ne sont efficaces que si chaque intervenant dit toute la vérité. Il faut être parfaitement honnête. Par exemple, qui, aux régionales, a pensé voter à droite dans le secret de l'isoloir, sans le dire à personne, juste pour faire chier les socialistes ? »

Tout le monde leva la main. La situation était grave. Je proposai de démarrer la thérapie immédiatement, Julien, le plus meurtri d'entre nous, se porta volontaire :

« Julien, 51 ans, mes parents ont toujours été de gauche, j'ai voté socialiste pour la première fois en 1981.

– Nous t'écoutons, Julien.

– Voilà, désormais quand j'ai envie de lire *Libé*, je demande aussi *Le Figaro* pour pouvoir le planquer à l'intérieur.

– C'est super courageux de nous avoir raconté ça, Julien. Est-ce que parfois, ça t'arrive de n'acheter que *Le Figaro* ?

– Oui, ça m'arrive. »

Tout le monde applaudit Julien qui promit d'essayer de lire *Libé* au moins cinq minutes par jour. C'est le principe des Hollandais Anonymes, prescrire des exercices pour essayer de s'en sortir. À cet instant, Pierre, 42 ans, militant PS depuis quinze ans, prit la parole :

« J'aime bien Valls, l'homme, ses idées. J'aurais du mal à prendre tout de suite ma carte de l'UMP, mais Manuel m'aide en douceur à devenir de droite, il me décomplexe.

– Tu plaisantes, dit Didier, Valls, faut pas déconner ! Et t'arrives encore à te regarder dans une glace ?

– Ah ça te va bien de dire ça, vociféra Pierre, dis-leur ce que tu m'as dit l'autre jour, au moment de payer ton tiers provisionnel!»

Didier devint rouge comme une pivoine. Je décidai d'intervenir.

«Arrêtez, les gars! Une des règles des Hollandais Anonymes, c'est que personne n'est jugé, ni obligé de s'exprimer. Didier peut garder le silence.

– Allez, Didier, allez!

– Voilà, l'autre jour, avec Fabienne, on s'est renseigné pour s'exiler à Londres. J'en peux plus de travailler comme un âne pour parvenir tout juste à payer mes impôts.»

La petite assemblée s'est figée sur place. Didier, 48 ans, ex-trotskiste, militant du Front de gauche, qui voulait devenir exilé fiscal! Ludo, le boute-en-train du groupe, entonna *L'Internationale*. «Ta gueule! jura Didier. Ça m'est arrivé au moment de l'affaire Aquilino Morelle. Hollande nous a promis un comportement exemplaire et voilà! Je ne vois pas pourquoi je paierais des fortunes pour offrir des grands crus à ses conseillers et cirer leurs Berluti. Figurez-vous que les chasses présidentielles existent toujours et que la crème des dirigeants socialistes s'y retrouve pour tirer sur des faisans. Y en a marre qu'ils se foutent de nous. Moi aussi, je ne vais penser qu'à moi!» Les esprits s'échauffaient, cette histoire de chasse avait mis le feu aux poudres. Sur RMC, Hollande venait de déclarer qu'il était le président du rebond. On n'avait jamais entendu un truc aussi con. Je décidai d'instituer une réunion des Hollandais Anonymes tous les deux jours, car l'heure est grave!

Fuck le Festival !

Quel scandale ! Christiane Taubira qui refuse de chanter *La Marseillaise*... Une semaine seulement après la finale de *The Voice*, alors que la chanson française retrouve ses lettres de noblesse, la garde des Sceaux boycotte notre hymne national, à quatre semaines de la Coupe du monde, ça promet !

Là-dessus, la petite amie de Samir Nasri qui nous dit «fuck !» nous traite de «racistes». C'est dommage qu'elle ne soit pas du voyage au Brésil, je me dis que quelqu'un d'aussi classe aurait été en harmonie avec les copines de Ribéry... mais bon, je ne suis pas Didier Deschamps. De toute façon, je serais incapable de mâchouiller une touillette en agitant les bras pendant quatre-vingt-dix minutes, chacun son job ! La bonne nouvelle, c'est qu'Anne Roumanoff va enfin pouvoir imiter la garde des Sceaux sans se faire taper sur les doigts : «Super, Anne, ton imitation de Taubira, ta minute de silence, très juste, tout en retenue !»

Bref, heureusement que le Festival de Cannes a démarré afin de nous faire oublier tout ça. Franchement, je ne sais pas ce que vous en pensez, mais moi, cette manifestation me fait un bien fou, une sorte de sas de décompression, de «parenthèse inattendue»... J'aime bien citer du Frédéric Lopez. Voilà un garçon qui ne manque jamais une occasion de chanter pour notre plaisir à tous. Je le verrais bien recevoir Christiane Taubira, assis au coin du feu, emmitouflé dans son inénarrable pull camionneur: «Alors, Christiane, il y a les caricatures nauséabondes, la une de *Minute*, les insultes à Angers et, tout d'un coup, la petite fille qui sommeille en toi refuse de chanter "Qu'un sang impur abreuve nos sillons", tu peux nous en parler, qu'est-ce que ça remue en toi?»

Pour les inconditionnels de Lopez, les amoureux de l'empathie discount, on pourrait aussi imaginer un *Rendez-vous en terre inconnue* inversé, un Indien d'Amazonie débarquant sur la Croisette en plein Festival... avec à ses côtés Fredo lui expliquant les us et coutumes des *happy few*: «Alors là, Tibou, il y a les vedettes, les stars, ce sont des gens à part, tu ne peux ni les toucher ni les approcher. S'ils sont bien lunés, ils peuvent te faire un gri-gri sur une photo, mais fais gaffe à avoir un stylo qui marche, ils sont toujours pressés. Ils vont monter un escalier recouvert d'un tapis rouge pour ne pas abîmer leurs chaussures qui sont rouges aussi, ce sont des Louboutin Tibou... avec le prix d'une semelle, tu peux replanter plusieurs hectares de forêt chez toi!»

Tibou se tiendrait nu au milieu des festivaliers et quelques personnes demanderaient à Frédéric des places pour la soirée amazonienne ! Au moment où les stars fouleraient le tapis rouge, les gens se mettraient à hurler et Tibou apeuré se cacherait derrière Frédéric : «Là, Tibou, les gens crient car ils sont heureux d'apercevoir en vrai une star de cinéma, le cinéma c'est une lumière magique et...» Tout d'un coup, Tibou se met à son tour à pousser des cris, car il aperçoit plusieurs membres de sa tribu monter les marches du palais. En vérité, ce sont des actrices qui ont fait de la chirurgie esthétique et Tibou qui adore les bouches en plateau est littéralement déchaîné.

Pour contenir Tibou, Frédéric et son équipe décident de se réfugier au Martinez. Au bar, Tibou demande pourquoi les gens qui montent les marches ne distribuent pas eux aussi des boissons puisqu'ils sont habillés comme le personnel de l'hôtel. Fredo n'a pas de réponse. À minuit, Tibou et Frédéric se retrouvent à la fête Canal... sous la pluie, des people frigorifiés se battent pour obtenir une cuillère de risotto aux truffes. Tibou remarque que les gens ne se regardent pas dans les yeux quand ils se parlent, mais cherchent en permanence une autre personne peut-être plus intéressante à qui parler et ainsi de suite. Tout le monde semble s'aimer mais dès que quelqu'un tourne le dos, on dit du mal de lui. Derrière Tibou, une actrice a enlevé ses semelles rouges car elles lui font mal aux pieds. Une autre se plaint à son agent que Matilda a été coiffée dans sa suite par Franck Provost, alors qu'elle, qui a le rôle principal du film de Hazanavicius, l'a été par son assistant. Grégoire Laurent (un monsieur tout rouge affublé d'un catogan ridicule) lui répond en hurlant qu'il s'en occupe dès demain, qu'il va appeler en urgence Gilles Jacob, qu'on va voir de quel bois il se chauffe ! L'émission se termine aux aurores au camping de Mandelieu. Avant de retrouver sa suite au Martinez, Lopez fait semblant de se coucher sous une tente avec Tibou. « Alors, tes impressions ? Le monde de Cannes, c'est très différent de ce que tu connais ? » Tibou répond qu'ici les gens ont l'air très malheureux et qu'il a hâte de rentrer chez lui. Lopez, qui n'a rien compris, répond que le max à Cannes, c'est trois jours, et qu'après il faut partir. Tibou dit qu'il a bien aimé les bouches en plateau des actrices, mais pas le reste du visage quand il ne bouge plus du tout. Frédéric se dit qu'il coupera cette remarque au montage, pas question de se froisser avec le monde du cinéma. Clap de fin. Lopez rentre au Martinez, Tibou s'endort. Dans une petite tente en contrebas, une jeune actrice, qui rêve de Louboutin, demande à sa copine si elle n'a pas une place demain pour « la soirée Luc Besson ».

23 MAI 2014

Le Mépris

Je ne comprends pas le choix de Jean-Luc Godard : « Je n'irai pas à Cannes parce que j'y suis déjà allé ! » Comment un homme qui a passé sa vie à « dépeindre la confusion mentale de sa génération » peut-il bouder une telle manifestation ? Personnellement, j'adore cette quinzaine, je l'attends toute l'année, un peu comme Noël ou un anniversaire. D'habitude, le peuple râle, manifeste, refuse sa condition mais là, à Cannes, il l'accepte. C'est la magie du Festival ! Confinés derrière des barrières, serrés comme des sardines, des gens adulent et applaudissent un petit cercle de nantis plus beaux, plus riches et plus minces qu'eux. Des étoiles habillées, nourries et logées gratos... et qui chaque année rajeunissent même si, du coup, certaines n'arrivent plus à sourire. Le cinéaste du *Mépris* se serait régalé avec cette 67e édition. Il aurait pu poser sa caméra et réaliser un doc dévoilant le vrai visage du Festival pour le présenter en ouverture lors de la 68e édition. Une œuvre ultime, une sorte de mix du *Bal des vampires* et de *Barry Lyndon,* avec en premier plan, Sophia Loren montant les marches, effrayante, spectrale. Derrière, par solidarité, pour qu'elle ne soit pas l'unique zombie de la soirée, le public aurait entamé la chorégraphie du clip de Michael Jackson, *Thriller.*

Une intro très gore qui aurait enchaîné avec un gros plan de Carole Bouquet vomissant ses fruits de mer sur la Croisette. Allergique aux crustacés, la comédienne a été victime d'un œdème de Quincke lors de la soirée *Vanity Fair* (info *Nice-Matin).* Godard panote ensuite sur Julie Gayet quittant précipitamment les lieux pour soutenir son amie Carole (info *Gala).* Julie, n'étant pas allergique aux fruits de mer, puisqu'elle a vécu plusieurs mois avec une moule, accompagne son amie jusqu'au camion des pompiers. La séquence s'enchaîne avec un gros plan de l'équipe de *The Expendables* brandissant sur les marches du palais une pancarte «Bring Back Our Girls» en soutien aux lycéennes enlevées au Nigeria. On ne comprend pas le rapport avec l'œdème de Carole, mais c'est ça qui est génial, c'est Godard! On se retrouve ensuite au cœur de la soirée organisée par Vincent Maraval pour la sortie de *Welcome to New York* : distribution de menottes, peignoirs et faux spermes.

Un film dénoncé par une partie de la presse pour ses relents antisémites, mais étant donné que Lars Von Trier avait déclaré, lors du Festival 2009, «comprendre Hitler», il s'agit peut-être d'une thématique, un choix des organisateurs? Dieudonné doit rêver de venir à Cannes. À cet instant, le spectateur est au bord de la nausée, à l'instar d'Anne Sinclair qui apparaît en filigrane sur l'écran et déclare : «Je n'attaque pas la saleté, je la vomis.»

Ça y est, on y est : Carole, les fruits de mer, Anne Sinclair... Godard est toujours aussi génial ! Le pape de la Nouvelle Vague ne nous laisse pas respirer, dès qu'on pense avoir compris, il nous perd à nouveau : plan de Gilles Jacob, le président du Festival, faisant la bise à l'actrice iranienne Leila Hatami. Plan du ministre de la Culture iranien dénonçant à la télévision «une attitude inappropriée». Plan de Atefeh Rajabi, jeune fille de 16 ans, pendue en Iran à une grue pour des relations sexuelles avec un homme non marié. Le spectateur s'inquiète pour Leila Hatami, craint pour son retour en Iran. Se faire fouetter pour avoir fait la bise à Gilles Jacob... double punition ! On espère que le président du Festival ne l'a pas entraînée à la soirée DSK. On imagine Depardieu, ivre mort, croisant Leila et confondant son voile avec la culotte de Jacqueline dans *Les Valseuses*. Plan de Dewaere et Depardieu reniflant la célèbre culotte : «C'est pas mignon, ça, oh, oh, oh... sens-moi ce bouquet.» Plan de Bouquet vomissant ses moules. Le spectateur est désormais complètement paumé.

On arrive sur le visage d'Aurélie Filippetti, se préparant dans sa chambre à l'hôtel Martinez. La ministre vêtue d'un smoking Saint-Laurent appelle le bureau de Manuel Valls. Furieuse, elle vient d'apprendre que Fleur Pellerin, sa consœur, doit elle aussi monter les marches, elle refuse, elle veut être la seule à briller sous les projecteurs. À l'autre bout du fil, le Premier ministre, tente de la raisonner : «À trois jours des européennes, alors que le peuple souffre, que la crise frappe durement, il y a peut-être d'autres priorités !» La ministre tape des pieds, pleure, menace... Valls cède à son caprice, il sait qu'il n'y a rien à faire.

Incruste de l'affiche d'un film de Godard tourné en 1977 : *Quand la gauche aura le pouvoir.* Plan de Filippetti rayonnante seule sur le tapis cannois. Plan des badauds applaudissant et criant son nom. Plan d'un intermittent essayant d'approcher la ministre et écarté sans ménagements par son service d'ordre. Plan d'Aurélie craignant que son smoking n'ait été abîmé. Dernier plan d'Anne Sinclair déclarant : «Je n'attaque pas la saleté, je la vomis.» FIN.

31 MAI 2014

« Je suis profondément Copé ! »

Tout le monde s'acharne sur Copé sans essayer de le comprendre. Comment ce jeune homme de bonne famille, né à Boulogne-Billancourt en 1964, est-il devenu en quelques années l'homme politique le plus haï de France ? Couvé, choyé par sa maman, le petit Jean-François, qui porte des lunettes de vue et répète à l'envi à ses camarades d'école «plus tard, je serai président de la République», fut fatalement bizuté, chahuté et martyrisé. Difficile de ne pas piquer le pain au chocolat d'un enfant myope et maigrelet, premier en tout, amateur de bons points et fayotant en permanence avec la maîtresse. Lorsqu'il rentre de l'école, hoquetant : «Je suis profondément choqué», une formule qui deviendra sa marque de fabrique, Monique, sa maman, le console en lui caressant les cheveux... à l'époque, il en a encore. L'enfant souffre aussi d'une blessure secrète, dissimulée durant des années : le métier de son papa, Roland Copé, proctologue à l'hôpital

Saint-Antoine, spécialiste en chirurgie hémorroïdaire. Impossible de l'avouer à ses copains. Il a bien pensé leur faire une démo à l'aide de son pain au chocolat, mais dès qu'il le sort, on lui pique !

Ce n'est qu'en 2008, lorsque Roland cesse d'opérer pour devenir comédien dans le feuilleton *Plus belle la vie*, que JF préférera dire qu'il est proctologue.

Malgré ses déboires, le petit JF s'accroche à l'instar de son héros préféré Zorro : « Un homme vaillant qui se relève toujours quand il tombe de cheval. » Brillant élève, ses efforts finissent par payer. En 1986, il sort diplômé de Sciences-Po, mais pas de bol dans la même promo qu'Isabelle Giordano et Frigide Barjot ! Depuis cet exploit, tous les 5 mai, l'aimante Monique lui confectionne un gâteau d'anniversaire en forme de palais de l'Élysée.

En 1990, sa carrière politique démarre. C'est Chirac en personne qui vient chercher JF dans l'appartement familial de Boulogne. L'homme porte beau, costume sombre, cigarette aux lèvres. Monique est conquise. Après avoir bourré le sac de son chérubin de pains au chocolat, elle le laisse partir. Dehors, à l'arrière d'une CX Prestige, Balladur, Pasqua et Sarkozy patientent. Des gens bien. Les Copé sont rassurés. Le jeune homme est immédiatement dans le bain : valises, argent sale, rétrocommissions... « En quinze jours, on a dépucelé le petit », aurait dit Pasqua avec sa gouaille habituelle. Jean-François, qui a toujours été martyrisé, s'est enfin trouvé une famille, un clan. Dès lors, comment lui en vouloir d'avoir voulu ressembler à ses aînés, ces figures tutélaires, ces princes qui magouillent, volent et s'en tirent toujours avec un non-lieu, mais qui, le soir, mettent leur masque de Zorro pour venir parler morale et probité à la télé. C'est décidé Jean-François fera comme eux. Devenu maire de Meaux, député, puis ministre, le jeune loup se sent pousser des ailes. Dévoré par l'ambition, pressé d'accéder aux plus hautes fonctions, il multiplie les imprudences. Capable d'affirmer sans vergogne qu'«un parlementaire se contentant de 5 000 euros par mois est un minable», il joint l'acte à la parole et s'encanaille avec Ziad Takieddine, sulfureux marchand d'armes. Rolex, vacances à Venise, Beyrouth, Antibes... Copé se fait dorloter et pose barbotant en Vilebrequin dans la piscine de l'ami Ziad. Pasqua est consterné, lui qui a fréquenté les palais des plus grands voyous de la planète ne s'est jamais fait photographier en tenue de bain... le b.a.-ba ! Le cliché est dévastateur, mais rien ne semble arrêter l'ascension frénétique du petit JR... JF, pardon. Arrivé au coude à coude avec François Fillon à l'élection de la présidence de l'UMP, il tente un putsch et se déclare vainqueur ! Cette fois-ci, c'est Balladur qui est consterné. Même lui, le spécialiste en traîtrise, «l'ami de trente ans», n'aurait pas osé. Autoproclamé chef, Copé place ses hommes. Clientélisme, fausse facture : «Le petit met en œuvre ce qu'il a appris.» Malheureusement pour lui, l'époque n'est plus la même. Les lois sur le financement des partis se sont durcies. En mai 2014, la presse l'accuse d'avoir versé à la société Bygmalion dirigée par ses plus proches amis, Bastien Millot et Guy Alves, plus de 20 millions d'euros, des sommes astronomiques indûment facturées à l'UMP. JF panique, se contredit, s'embourbe dans des explications vaseuses... de nouveau, il a l'impression qu'on lui vole son pain au chocolat! Sa défense est lamentable, répétant en boucle qu'il est «extrêmement choqué», parlant de «coup monté de manière ignoble», il finit par admettre la tricherie, mais jure l'avoir découverte en lisant la presse. Au pied du mur, il affirme avoir été trahi par ses plus proches collaborateurs et envoie son fidèle lieutenant Jérôme Lavrilleux (un garçon lui aussi martyrisé dans son enfance, bite au dentifrice et massage aux orties) déclarer à la télé qu'il est le seul responsable. Une confession larmoyante qui ne trompe personne. Le 27 mai, le petit JF est forcé de démissionner au grand dam de sa maman. Pour son prochain anniversaire, Monique, qui veut quand même lui préparer une douceur, lui confectionnera une meringue en forme de prison de la Santé. Réduit au silence, l'homme qui rêvait de jouer le rôle de Zorro risque d'endosser pour toujours celui de Bernardo.

7 JUIN 2014

Fumer tue sur le coup !

Alors que le gouvernement est à l'agonie, au plus bas dans les sondages, vilipendé par les médias, c'est néanmoins rassurant de s'apercevoir que nos ministres continuent de se faire du souci pour nous, de se préoccuper de notre bien-être... C'est le cas de Marisol Touraine, pleine de sollicitude à notre égard. Ainsi, le 17 juin, la ministre de la Santé va présenter ses nouvelles mesures antitabac et notamment l'interdiction de la cigarette électronique dans les lieux publics. Une mesure d'extrême urgence quand on sait que, rien qu'en 2013, l'e-cigarette a fait reculer les ventes de tabac en France de 7 % ! Un manque à gagner pour l'État de plus de 1 milliard d'euros sur les 14 qu'il engrange chaque année grâce au tabac.

Alors que le gouvernement planche sur un plan d'économies de 50 milliards, il est impératif que les Français cessent immédiatement de vapoter et reprennent la cigarette normale, celle avec de l'ammoniaque, de l'arsenic, du polonium... Même si l'on tousse, même si l'on commence à avoir le souffle court et des douleurs dans la poitrine, il y a un moment pour tout, soyons patriotes !

Et que l'on ne me sorte pas les chiffres du cancer, comme quoi la cigarette classique tue 73 000 personnes par an en France, alors que l'e-cigarette diminue ces risques par dix ! Si demain le nombre de morts chute à 7 300, vous imaginez les conséquences sur le déficit des retraites ! Le rôle d'un gouvernement n'est pas de sauver des vies à tout prix. Marisol est une commerçante comme une autre avec un bilan et des comptes à rendre. Tout d'un coup, on lance un produit sur le marché et son succès fait de l'ombre aux autres. Il faut savoir faire machine arrière. C'est comme l'électroménager indestructible des années 1970 qui nous a fait beaucoup de mal. Aujourd'hui, on fabrique une télé, elle grille au bout de cinq ans, ça dope l'économie.

Bien sûr, Marisol ne peut pas dire : « J'interdis l'e-cigarette dans les lieux publics pour préserver mon bénef ! » Des années que les hausses du tabac n'entraînent aucune baisse des ventes, le gouvernement continue à se remplir les fouilles tout en gardant bonne conscience et, là, pas de bol, à cause d'un vulgaire morceau de plastique : – 7 % du chiffre ! Il a donc fallu que ses conseillers en communication trouvent un prétexte, un truc un peu vicieux : « Vapoter dans un lieu public incite les jeunes à fumer. L'e-cigarette est une porte d'entrée vers la vraie cigarette. » Oui, le jeune est con ! S'il voit quelqu'un dans un lieu public rejeter de la vapeur d'eau par la bouche, ça lui donne envie. Du coup, Marisol devrait interdire à quiconque de respirer dehors quand il fait froid, ça fait de la vapeur, ça peut donner envie. Le jeune est con et introverti, il ne sort jamais, ne va jamais au cinéma, n'a jamais vu un acteur fumer une clope... résultat, c'est le connard sur un quai de gare tirant sur une e-cigarette qui le convertit à la fumette. C'est lui le responsable ! Si on suit la logique de Marisol, ne faudrait-il pas de nouveau autoriser la cigarette au bureau ? Tous ces gens qui dorénavant descendent fumer sur les trottoirs, n'est-ce pas une énorme pub pour la cigarette ?

Autre mesure phare préconisée par Marisol : la mise en place de paquets neutres, noirs, tous identiques avec la marque en minuscule, afin de rendre la cigarette moins attractive.

Franchement, des paquets rigoureusement identiques... imaginez le casse-tête pour le buraliste, le matin, aux heures d'affluence !

« Une Marlboro, s'il vous plaît.

– Cinq minutes. Denise, t'as vu mes lunettes ? »

S'il se goure, ça permet aux jeunes de goûter une autre marque.

« Dites-moi, monsieur Duvivier, c'était super bon ce que vous m'avez donné hier, je vous ai rapporté le paquet.

– Je ne vois pas ce que c'est ? Denise, mes lunettes ! Bon, essayez-moi ça, il paraît que c'est génial ! »

Que les buralistes « se rassurent », les paquets neutres étant beaucoup plus faciles à copier, cela favorise le marché noir. Ils en auront donc beaucoup moins à vendre et disposeront de plus de temps pour trouver le bon paquet.

Peut-être que Marisol aurait dû durcir le message sur l'emballage, mettre un truc qui nous foute bien les jetons. À la place de «Fumer tue» : «Fumer tue sur le coup!» ou «Ouvrez ce paquet, vous êtes mort!» Elle aurait pu aussi changer la photo : les poumons nécrosés, les bouches édentées, on s'y est habitué, ça ne nous fait plus rien. Mettre une photo d'homme politique. Ils sont tellement haïs dans l'opinion. Un cliché du Président. Sortir un paquet avec la tête de François Hollande, c'est la honte! Bon, le seul avantage du paquet noir c'est que pour se rendre à l'enterrement d'un pote mort d'un cancer des poumons, c'est très chic.

«Il s'était mis à refumer quand JP?

– Quand Marisol a interdit l'e-cigarette dans les lieux publics, ça l'a énervé d'être de nouveau stigmatisé, du coup, il s'est remis à fumer des cigarettes normales.

– Le pauvre... Tu veux une clope?

– Merci. Très classe, ton paquet noir. JP aurait été très touché.

– Il est enterré ou incinéré?

– Incinéré, il a demandé à fumer jusqu'au bout pour faire chier Marisol!»

14 JUIN 2014

Bal tragique à Montretout

Comment comprendre le psychodrame que vivent les Le Pen?

Au départ, une famille heureuse, aimante, unie. Un joli couple, Jean-Marie et Pierrette, parents de trois grandes filles, blondes comme les blés : Marie-Caroline, Yann et Marine. Neuf petits-enfants, blonds également, dont la prometteuse Marion Maréchal (nous voilà). Une véritable carte postale !

Comme dans toutes les familles, il y eut bien sûr quelques accidents : le divorce du couple en 1987 avec les photos de Pierrette posant à poil dans *Playboy* pour emmerder Jean-Marie. L'arrestation pour proxénétisme du parrain de Marine, surnommé « l'empereur de Pigalle ». Les condamnations à répétition de papa pour apologie de crime de guerre et incitation à la haine raciale... mais rien ne semblait pouvoir diviser le clan.

Les Le Pen faisaient Front et l'on suivait avec passion la saga de cette dynastie. Un peu comme une sitcom sur TF1. Quel gâchis ! Alors que tout semblait aller pour le mieux : 25% aux européennes, la possibilité de devenir enfin le premier parti de France... Jean-Marie se dispute avec la benjamine, Marine et «son petit pull tout déchiré au coude».

J'ai beau exécrer les thèses du FN, je me mets à la place de leurs fans, des adhérents, la déception doit être immense.

Surtout pour ceux qui avaient quitté l'UMP pensant enfin trouver un foyer, une tribu. C'est d'autant plus dommage que «la dédiabolisation» était une idée de génie. D'un côté, Jean-Marie dans le rôle du méchant, de l'autre Marine dans celui de la quadra souriante et sympathique, *La Belle et la Bête* faisait un carton !

Filer un blog au vieux, le faire parler toutes les semaines sur le site du FN afin qu'il dérape et permette à Marine d'apparaître cool et modérée, il fallait y penser.

À mon avis, la séquence devait se tourner en début d'aprem, à l'heure de la sieste, quand le vieux sortait de table. Ensuite, pour Marie d'Herbais de Thun, l'animatrice payée par le parti, c'est un jeu d'enfant. Alors que le menhir cuve doucement son quart de rouge, il suffit de lui tendre la perche. Florian Philippot, un des rares frontistes diplômé, doit rédiger les questions : «Monsieur Noah avait juré de quitter la France en cas de victoire du Front, il ne l'a pas fait, qu'en pensez-vous ? Et Bruel ?» Une fois que le vieux a dérapé, le FN new-look, ripoliné, entre en jeu avec, à sa tête, Gilbert Collard. Le numéro est parfaitement rodé. Après avoir dénoncé «une faute politique» et appelé «au respect des valeurs républicaines», Gilbert prend la défense du vieux, consigne étant donnée de ne pas l'abattre complètement : « Pour avoir côtoyé Le Pen, je ne crois pas du tout qu'il soit antisémite », et tant pis si Jean-Marie a été condamné en 1986 pour « antisémitisme insidieux ». Le célèbre avocat n'est pas à une contradiction près. Comme Robert Ménard, il milite au FN sans avoir pris sa carte. Il est en période d'essai, de probation... il essaye l'extrême droite, comme d'autres une paire de chaussures. Il aime la couleur, mais il hésite encore sur le modèle. Clouté ou pas ?

Jean-Marie dans le rôle du méchant permettait aussi de continuer à séduire la branche dure de l'électorat frontiste, friande des dérapages du maître, les « Durafour crématoire » et autres « fournées d'artistes (juifs) ».

Alors, que s'est-il passé le 8 juin ? Pourquoi Marine a-t-elle subitement décidé de mettre fin à ce scénario rodé ?

La présidente du FN a-t-elle pris la grosse tête suite à ses récents succès ? Pense-t-elle dorénavant pouvoir se débrouiller toute seule ? Au nouveau siège du Front – le carré – on murmure qu'elle n'aurait plus besoin du vieux, que, désormais, il constitue plus une entrave qu'une aide.

Même si Marine a été façonnée par son papa, même si toute petite, elle a sauté sur les genoux de Bruno Mégret, été bercée par *IIIe Reich, voix et chants de la rénovation allemande,* un disque produit par son père, elle veut désormais voler de ses propres ailes. Mais que la branche dure se rassure, au fond d'elle-même, Marine ne renoncera jamais à ses premières amours. En 2006, elle a posé entourée de jeunes néonazis lyonnais, l'un deux portait une croix gammée, un

Totenkopf, symbole des SS. En 2012, elle valse au bras de pangermanistes viennois, des brutes négationnistes et antisémites. Mais, pour le moment, la cadette préfère tuer le père et avancer masquée. La surprise n'en sera que plus grande au soir du 8 mai 2017.

Dès lors, une terrible interrogation me taraude. Après *Sauver Willy*, ne faut-il pas «sauver Jean-Marie», le vieux dinosaure frontiste? Lui qui n'a jamais désiré le pouvoir, qui était terrorisé au soir du 21 avril 2002, n'a-t-il pas une réelle utilité, celle de nous rappeler constamment le vrai visage du FN?

Ne devrait-on pas lui donner à nouveau un blog, une fenêtre sur Internet? Ne pourrait-il pas animer une première partie au théâtre de la Main d'or, le temple des chansonniers antisémites? N'importe quoi, mais qu'il continue à nous alerter, à faire office de repoussoir.

21 JUIN 2014

Capitaine Hollande

Ça y est, on est champions du monde ! Enfin presque... encore quelques matchs à jouer. Mais l'essentiel est fait, le pays entier vibre de nouveau pour les Bleus à l'image de son premier supporteur François Hollande !

« La Coupe du monde peut susciter la confiance, rien n'est impossible », déclare joyeusement notre président. Un slogan légèrement pompé sur le « Tout devient possible » de son ancien rival. Mais qu'importe, son enthousiasme fait plaisir à voir : visite à Clairefontaine, commentaires d'avant et après match en direct sur TF1, projection organisée à l'Élysée lors de France-Honduras avec pas moins de 200 personnes, et entre autres les médaillés olympiques et paralympiques de Sotchi. Dans une ambiance chaleureuse et cosy, la salle applaudit, s'enthousiasme, se lève comme un seul homme quand Benzema marque. Seuls les champions paralympiques, d'un naturel plus discret, préfèrent rester assis. Des images de la France qui gagne mises en ligne sur le site officiel de l'Élysée comme pour conjurer le sort.

Un amour des Bleus également incarné par notre ministre des Sports, Najat Vallaud-Belkacem, qui s'est spécialement déplacée au Brésil pour encourager nos troupes. Une Najat, totalement groupie, qui «ne quitte plus son maillot tricolore» et trouve nos joueurs «beaux gosses»...! Un compliment rendu possible après le forfait de Ribéry.

Évidemment, certains dénoncent une récupération grossière, une tentative désespérée de surfer sur la résurrection de notre équipe nationale. C'est le cas de Valérie Pécresse qui, au passage, semble avoir oublié sa prestation de pom pom girl UMP au Stade de France en 2010.

Bref, même s'il en fait des tonnes, on peut comprendre que Hollande tente d'associer son parcours à celui des Bleus.

Détestés il y a peu, au plus bas dans les sondages, les joueurs ont réussi en quelques mois un come-back inespéré, une véritable réhabilitation dans le cœur de leurs supporteurs.

Tous les espoirs seraient donc permis. À l'instar de Hollande, Deschamps avait hérité d'une situation catastrophique, une équipe entière à reconstruire, une confiance à renouer. La tâche était immense. Souvenez-vous, au printemps 2010, en pleine affaire Bettencourt, la main de Thierry Henry, symbole de la France qui triche, qualifiait les Bleus pour l'Afrique du Sud. Bien mal acquis ne profite jamais. S'ensuivent la mutinerie de Kysna, la grève des joueurs, l'occupation du bus.

Le «va te faire enculer, sale fils de P...» de Nicolas A. comme un écho au «casse-toi, pov'con» de Nicolas S. Bien sûr, il existe des différences entre Deschamps et Hollande. Si l'un a su rajeunir son effectif, éliminer les brebis galeuses de Kysna (enfin presque!), l'autre a repris d'anciens joueurs déjà sélectionnés en 1981 sous François Mitterrand, tels Royal et Fabius. Les observateurs pointent des styles très différents : là où Deschamps sait choisir, trancher, se séparer d'un élément perturbateur comme Nasri, Hollande hésite, tergiverse, maintient Cahuzac à son poste, alors qu'il sait pertinemment que c'est un voyou, qui a trahi nos couleurs, pour aller jouer en Suisse! Même chose, lorsque Filippetti exige de monter les marches du Festival de Cannes sans sa consœur Fleur Pellerin, le président cède à ses caprices. Imaginez Debuchy demandant à Deschamps de ne pas aligner Cabaye pour briller seul sur le flanc gauche du terrain... impensable!

Pourtant Hollande essaye tant bien que mal de copier la méthode Deschamps : privilégier le collectif aux individualités, mais en vain... Le jeune Valls continue à la jouer perso et pourrait un jour marquer contre son camp pour préserver ses intérêts. On se souvient tous de Zizou dictant sa volonté à Domenech. On peut certes saluer des efforts de discipline : la confiscation des portables pendant le conseil des ministres, l'obligation de prévenir le cabinet du Premier ministre avant d'accepter une interview. Pour Hollande, reste le problème de l'exemplarité : on voit mal Deschamps, lui, sortir le soir en boîte à Copacabana et se faire gauler au petit matin avec une Brésilienne sur son scooter.

Tout cela n'empêche pas notre président d'y croire dur comme fer, persuadé que la méthode Deschamps est la bonne et qu'une victoire des Bleus en Coupe du monde pourrait débloquer son propre compteur. En privé, on murmure qu'il s'identifie totalement au sélectionneur tricolore. Il mâchouille des touillettes en plastique, parle avec l'accent du Sud-Ouest et reste confiant quoi qu'il arrive : 14 000 chômeurs de plus, une croissance en berne, un déficit qui explose... le président positive : « J'ai vu des choses intéressantes tant sur le plan politique qu'économique, le groupe vit bien, il faut persévérer, ça va finir par payer ! » Le phénomène d'identification est total. Des témoins l'auraient vu déambuler en survêt dans les couloirs du palais et distribuer des claques sur les fesses aux ministres les plus méritants. Une attitude qui irrite fortement Fabius, allergique à toute forme de familiarité, mais qui, en revanche, ravit Ségolène.

5 JUILLET 2014

Dernière chronique...

Autant l'admettre, je me suis largement fourvoyé le soir du 6 mai 2012 : après cinq années passées sous Nicolas Sarkozy, j'étais persuadé que plus jamais on ne rirait autant. Les Morano, Besson, Estrosi, Hortefeux, Guéant nous avaient tellement régalés par leurs outrances et leurs dérapages... qu'il me semblait illusoire d'espérer un nouveau spectacle à la hauteur.

Il fallait se rendre à l'évidence, une page se tournait, plus jamais nous n'aurions une telle bande de pieds nickelés pour nous gouverner. L'âge d'or du bêtisier politique me paraissait révolu. Et comble de malchance, les Français avaient élu un président normal pour succéder à la *dream team* sarkozienne. «Lui président» vivrait dans son appartement du XVᵉ, voyagerait en train, ne favoriserait pas ses amis, aurait en tout point un comportement exemplaire... c'était bien mort, fichu, sans espoir, on allait s'emmerder !

Personnellement, je décidai de prendre une année sabbatique. Adieu sketches, revue de presse, papiers satyriques...

Un peu comme un vigneron dont toutes les vignes auraient été dévastées par un orage, je me retrouvais sans matériau, sans outil de travail. Durant un temps, je le reconnais, j'ai culpabilisé. Sarko battu, j'avais la sensation d'avoir cassé mon jouet et perdu mon meilleur client. Je me disais que j'aurais peut-être dû y aller mollo, lever le pied. C'est tout le paradoxe du métier d'humoriste, on s'insurge, on dénonce... et quand les choses s'arrangent, on se retrouve dans la merde. De la même façon, le journaliste Edwy Plenel serait très malheureux s'il était norvégien. Un pays où les ministres circulent en bus et payent eux-mêmes leurs titres de transport ! Jamais le moindre scandale... Que des Eva Joly coiffées de lunettes Afflelou... un cauchemar !

Bref, lorsqu'au beau milieu de l'été dernier, *Libération* me proposa d'écrire une chronique, je refusai poliment :

« Écoutez, je ne fais plus ce genre d'exercice, je me suis rangé des voitures. Et puis écrire sur quoi, y a plus rien à dire...

– Sur la droite, il y a quand même des choses intéressantes...

– L'UMP est subclaquante, le FN veut devenir "Bleu Marine" et "Raymond" se produit à l'Olympia avec Carlita... si c'est pour écrire sur Wauquiez, Chatel ou Lemaire, merci bien ! Je ne fais pas les seconds couteaux, je veux du solide, du lourd, des mafieux, des Sarko, des Guéant !

– Et la gauche, faites un truc sur la gauche ?

– Vous voulez que j'écrive un billet sur Jean-Marc Ayrault ? Vous ne trouvez pas que le journal se vend déjà assez mal ?

– Vous avez raison, Stéphane, tout, sauf Jean-Marc Ayrault ! Écoutez, faisons une période d'essai sur trois semaines, si d'ici là, il ne s'est rien passé, on se quitte bons amis. »

In fine, la saison a été magnifique, inespérée, sans doute une des plus belles et je m'en veux d'avoir douté de nos hommes politiques, de leur capacité à nous surprendre toujours et encore.

Je voudrais tout d'abord remercier le président de la République qui clôt une saison exceptionnelle. J'avoue, je ne l'avais pas vu venir ! Les affaires Cahuzac, Taubira, Aquilino Morelle, l'épisode du scooter, les promesses non tenues, la courbe du chômage qui s'apprête toujours à baisser... Il m'a bluffé ! Le jour du D Day, alors que je suis resté vingt minutes bloqué à un feu rouge boulevard Haussmann pour permettre au président normal de rejoindre le Soldat inconnu, je m'en suis voulu de l'avoir sous-estimé. Lorsque son convoi est passé : une Velsatis présidentielle aux vitres noires fumées (assorties à sa couleur de cheveux) entourée d'une quarantaine de motards, j'étais rassuré. Avec cette philosophie de la normalité... j'avais du boulot jusqu'à la fin de son mandat.

Un grand merci également à Jean-François Copé qui, entre l'élection truquée à la présidence de l'UMP et l'affaire Bygmalion, n'a cessé de nous régaler. C'est le client idéal, même viré, sur la touche... il continue son show. Capable d'annoncer un mercredi sa retraite médiatique, sa volonté de prendre du recul, puis de se faire filmer le lendemain prenant du recul... Du grand art! Petite pensée également à Jean-Luc Mélenchon qui nous a bien fait rire avec son interview truquée, à Jean-Marie et Marine et leur numéro de duettistes « fascisme *light* contre fascisme dur », un classique, mais toujours très efficace.

Enfin, je ne voudrais pas clore ces remerciements sans saluer mon meilleur client, mon « chouchou » toutes catégories : Nicolas Sarkozy. C'est notre plus grande star, même incarcéré, emprisonné à la Santé, il peut se présenter et gagner la présidentielle. Son interview sur TF1 avec Elkabbach dans le rôle du cireur de pompes d'Aquilino Morelle était un modèle du genre. Regardez-le en noir et blanc, on se croirait revenu sous Giscard. Merci pour ce grand éclat de rire. Avec de tels clients, ça va paraître long d'attendre septembre... une éternité ! Que va-t-on découvrir la semaine prochaine ? Que les concerts de Carla ont été financés par Bygmalion, que François s'est marié en secret avec Julie, qu'en représailles Valérie a été aperçue au spectacle de Jean Roucas au bras d'Alain Delon, que Copé a demandé à Bernard Tapie « comment enterrer une grosse somme d'argent dans un jardin sans altérer les billets », que Ségolène est restée une nuit entière bloquée dans son ministère car plus aucun huissier n'était présent pour lui ouvrir la porte, que Cahuzac conseille secrètement Depardieu pour ses nouveaux placements en Belgique... La suite au prochain numéro.

Trierweiler, Thévenoud, les sans-dents.
À l'heure où ce livre part sous presse,
les chroniques les plus folles restent à écrire...

Remerciements

Un salut amical au journal *Libération* qui m'a accueilli dans son sein pour écrire ces chroniques !

Un tendre merci à Muriel Cousin pour son aide précieuse, tant dans l'écriture des textes que pour leur agencement dans ce livre.

Table

du même **auteur**

Jusque-là... tout allait bien !, Albin Michel/Canal+, 2005 ; «Points», n°P2302.

Stéphane Guillon aggrave son cas, Albin Michel/Canal+, 2006 ; «Points», n°P2216.

On m'a demandé de vous calmer, Stock, 2009 ; «Points», n°P2496.

On m'a demandé de vous virer, Stock, 2010.

Je me suis bien amusé, merci !, Seuil, 2012.

l'humour
au cherche midi

PIERRE DAC
Arrière-pensées
Les pensées
Mes meilleures pensées
DALÍ
Pensées et anecdotes
FRÉDÉRIC DARD
Les Pensées de San-Antonio
DE GAULLE
Traits d'esprit choisis par Marcel Jullian
JEAN DUTOURD
Les Pensées
JACQUES DUTRONC
Pensées et répliques
GUSTAVE FLAUBERT
Les Pensées
ANATOLE FRANCE
Les Pensées
ANDRÉ FROSSARD
Les Pensées
SERGE GAINSBOURG
Pensées, provocs et autres volutes
SACHA GUITRY
Pensées, maximes et anecdotes
ALPHONSE KARR, AURÉLIEN SCHOLL,
GEORGES FEYDEAU ET CAMI
Les Pensées des Boulevardiers
JACQUES MARTIN
Pensées, répliques et anecdotes
MARX BROTHERS
Pensées, répliques et anecdotes
PHILIPPE MEYER
Portraits acides et autres pensées édifiantes

JEAN GOURMELIN

Les Univers de J. Gourmelin
Instants d'espace
À la mémoire de l'humanité

JEAN HIN

Ti Mimite le petit chat

KERLEROUX

L'Homme qui a vu l'homme

LOUP

L'Art comptant pour rien

MOSE

Mose à la mer
Le Golf
Les Meilleurs Dessins

PIEM

Au revoir et encore merci
Bonne santé, mode d'emploi (Prix de l'humour médical)
Cent dessins choisis
Dieu et vous
Enfants parents, mode d'emploi
La Terre jusqu'au trognon
L'Argent, encore plus
L'École
Les Accros du portable
Les Joies de la retraite
Les Mordus de l'automobile
Les Mordus du tennis
Le Petit Piem illustré
Mon stress, mon psy et moi
Petits-enfants, grands-parents, mode d'emploi

RISS

Même femme pratique

SINÉ

Les Chats de Siné
Siné sème sa zone
Siné dans Charlie Hebdo
Siné dans Hara Kiri Hebdo
Journal pré-posthume

RONALD SEARLE

Ronald Searle dans Le Monde

SOULAS

Comment rire en poussant un cri déchirant tout en restant beau
Vieux, c'est mieux

SYLVAIN TESSON
Les Pendus

TETSU
La Vie à deux
Toutes les mêmes
Toute une vie à deux

TREZ
Les Idées très noires

TOMI UNGERER
Cœur à cœur
Les Chats

VOUTCH
Chaque jour est une fête
L'amour triomphe toujours
Le doute est partout
Le futur ne recule jamais
Le Grand Tourbillon de la vie
Le Monde merveilleux de l'entreprise
Le pire n'est même pas certain
Les Joies du monde moderne
Les Mystérieuses Alchimies de l'amour
Ouragan sur le couple
Personne n'est tout blanc

GEORGES WOLINSKI
Défense de fumer!
Dialogues de sourds
Le pire a de l'avenir
Les droits de la femme (et de l'homme)

MIXTE
Papier issu de
sources responsables
FSC® C003309

Les papiers utilisés dans cet ouvrage
sont issus de forêts responsablement gérées.

Mis en pages par DV Arts Graphiques à La Rochelle
Imprimé en France par Firmin Didot
Dépôt légal: novembre 2014
N° d'édition: 4042 – N° d'impression: 125992
ISBN 978-2-7491-4042-1